저자소개

작가, 사상가

저서: 소설, 시와 수필 및 평론집, 기타 논서, 통산 53권째 저술, 소설- 검은 눈사람 (黑雪人), 산정(山頂)에 피는 꽃, 중간자(中間者) 1, 대화선(對話船) 1-7, 토말(土末) 기행, 회색의 문, 바다의 강, 지붕 위의 수탉, 중간자(中間者), 수필 및 기타-토말록(土末錄) 1-9, 〈저서 목록〉: 부록 참조

검은 눈사람 (黑雪人)
발 행 2024년 7월 29일
저 자 박찬우
펴낸곳 주식회사 부크크
주 소 서울특별시 금천구 가산디지털1로 119 SK 트윈타워 A동 305-7호
E-mail info@bookk.co.kr
ISBN 979-11-410-9803-2
www.bookk.co.kr

검은 눈사람

-장편소설 흑설인(黑雪人) -

박찬우

목 차

머리말

다도해를 한눈에 내려다 볼 수 있는 이곳 땅끝 두륜산은, 바다를 바라보는 쪽이 정면이란 생각이 들었다. 물론, 산은 사방이 다 정면일 것이다. 그런데도 아마도 내가 지내고 있는 곳은 해남(海南)이라는 지명의 땅끝마을이기 때문이었다. 즉, 한반도 남쪽 끝 바다와 맞닿는 곳으로, 바다는 예로부터 천문(天門)을 뜻하며, 남쪽을 의미하는 화오(火午)는 빛을 뜻하니, "지혜의 등불"이라는 의미가 있었다. 이점 마음에 새기면서 열심히 노력하고자 한다. 그리고 많이 부족한 졸저지만 이번에도 용기 내어 세상에 마음을 내어본다.

2024, 두륜산 초당에서

검은 눈사람

나는 검은 눈사람이다. 한자로 말하면 흑설인(黑雪人)이라고 불리기도 한다. 사실, 이 말은 이곳의 영특한 소년이 불려준 이름이었다. 본래는 이곳 함양 박씨 집안 대대로 내려오는 씨간장이라고 생각하면 된다. 나는 오랜 세월 이 집안을 지켜보면서 묘하게 어려움이 계속, 되고 있음을 알았다. 그러나 언젠가는 마음을 연구하는 큰 인물이 나타나, 그동안 이 집안에 쌓인 마음속 내면의 고통을 일거에 씻김 할 수 있을 것이라고 고대해 보고 있었다.

본래, 이 댁의 본가는 영암에 자리 잡은 함양 박씨 집성촌에서, 사화에 연루되어서 이곳으로 귀양 온 호가 고광(孤狂)이라는 인물의 후손들이 모여 사는 곳이었다. 영암에 자리 잡은 조상은 고광의 부친인 오한(五恨)이라는 분이었다. 씨간장인 나는 여러 권의 고서와 가족과 함께 이곳에 정착하게 되었다.

 아마도 마음의 양식인 여러 권의 고서와 몸의 양식을 대표해서 내가 뽑힌 모양이었다. 사실, 과거 붕당정치가 큰 적폐라고 사람들은 말하고 있었다. 그러나 내가 볼 때는 전제적인 왕권에서 붕당(朋黨)이라고 하지만, 실제로 붕당의 선비들은 왕에게는 꽃놀이패에 불과한 모습이라 생각이 들었다. 그 시절에는 왕 이외는 그 누구도 자유로운 사람은 없었기 때문이었다.

 이곳은 땅끝마을이라는 해남과 강진의 경계의 마을이었다. 조금 강진 쪽으로 올라가면 정다산의 귀양지가 있었다. 그 귀양지 보다, 더 아래에 있으니 정말 오지라 말할 수 있었다.

물론, 한양이라는 도읍지 중심에서 보면 그렇다는 점이다. 물론, 저 푸른 태평양에서 보면 이곳 땅끝마을은 가장 가까운 육지라 말할 수 있었다.

이처럼 어느 방향성을 가지고 세상을 바라보느냐에 따라, 이처럼 다르게 바라볼 수가 있었다. 내가 있는 곳은 집안의 가장 안쪽인 안채 뒤편에 부엌이 가까운 곳에 있기에, 가장 은밀한 곳에 있다 할 수가 있었다.

아무래도 사람 목숨을 유지하는 음식 재료를 보관하는 항아리이다 보니, 집안의 안 주인이 외의 사람의 손이 타지 않는 곳에 보관하는 것이라 할 수 있었다.

그래서 내가 주로 매일 상대하는 이들은 이 집안 안주인과 여인들이었다. 간혹, 심부름하는 여자애들과 항아리를 옮기는 작업을 하는 일꾼들이 외는 만나기는 드물었다.

특히, 이 집안의 안주인은 매일 새벽이면 하얀 대접에다 맑은 물을 담아 나의 몸인 항아리 뚜껑 위에다 올리면서, 마음속 응어리들을 토해 놓고 답을 구하곤 하였다.

나는 성심성의껏 그들의 이야기를 들어주고 마음으로 위로를 주곤 하였다. 그러나 대부분은 일방통행이라고 말할 수 있었다. 나를 그냥 조상 대대로 내려오는 귀한 씨간장으로만 대하지, 검은 눈사람이라는 하나의 인격체로 대하지는 않았다. 이는 답답한 노릇이지만, 나를 검은 눈사람으로 대하는 귀인이 나타나는, 그날을 나는 하염없이 기다릴 수밖에 없었다.

긴 겨울날

내가 사는 마을은 땅끝마을 북평면의 작은 마을이다. 본래 이곳은 영암군의 일부이었지만, 해남군으로 편입된 곳이었다. 면 소재지는 남창이라는 포구이었다. 그 포구는 완도와 서로 맞대고 있는 다도해를 낀 포구이었다. 또한, 강진만(康津灣)의 초입이면서 완도와 접해 있는 곳이었다.

이곳은 마을 주민의 수가 제법 많아 나중에 북평면은 북일면으로 분리되기도 하였다. 그만큼 이 지역은 오늘날보다 과거가 훨씬 인구가 많은 곳이었다. 두륜산 남쪽 면 해안가의 마을은 흥촌리(興村里)와 운전리로, 그리고 운전리는 운전(雲田), 그리고 장전(長田)과 장수(長水)마을로 나누어져 있었다.

그리고 마을 앞쪽까지 깊게 들어온 바닷물은, 이곳이 오래전부터 자기의 터인 양, 주인행세를 하고 있었다. 그러기에, 이 마을 귀양 온 박씨들이 갯벌을 간척하기 시작하여 육지가 되기 전까지는 그 갯벌을 건너는 번번한 다리도 없었다.

겨우 개천을 가로질러 배로 다리를 놓은 곳이 있을 뿐이었다. 그리고 그 다리는 일명 배다리라고 불렀다.

내륙지방의 사람들은 겨울철에 김치를 담아 먹던 것과 마찬가지로, 이곳 해안가 사람들은 일년내내 갯벌에서 작은 게들을 잡아와서, 끓인 간장 물을 넣고 게장을 만들어 옹기에 담아 놓고 먹었었다.

물론, 이 집안사람들은 이렇게 게장을 담은 항아리는, 내가 터를 잡고 사는 장독대에다 두지 않고, 따로 부엌 가까운 곳에 두고 먹었다. 이는 장독대가 조상 대대로 모셔오는 씨간장을 비롯한, 식물 위주의 깔끔한 재료들만 두는 나름 신성한 곳이라고 생각하는 것 같았다.

나 역시 그런 대접을 받는 점은 당연하다는 생각이 들었다. 마땅한 단백질원이 없는 이곳 마을에서는 또한, 짱뚱어를 잡아서 탕으로 많이 만들어 먹었다. 비록, 짠맛이 강하였지만 부족한 단백질과 해산물이 주는 그 간간한 맛은 포만감을 채우기에는 충분하였다. 이는 갯벌이 주는 선물이었다.

다른 것은 부족한 것은 없었으나, 마을 자체가 갯벌과 가까운 곳이었기에, 아니 애당초 갯벌에 가까웠기에, 아쉬운 점은 마을 곳곳 아무리 우물을 파도 짠물이 나온다는 점이었다.

그래서 이곳 집안사람들은 대체로 심혈관계의 질병이 많았다.

문제는 그것뿐이 아니었다. 마을 뒤편으로 두륜산과 주작산이 병풍처럼 있었다. 그러나 그 산들은 악산으로 바위가 많고, 경사가 심해서, 농사를 지을 수도 없기에, 사람 살기가 어려운 곳이었다. 그리고 마을 앞에는 농지로 쓸 수 없는 갯벌이었다.

　나는 생각하였다. 앞으로 고생문이 활짝 열린 박씨들이 매우 안쓰럽고 짠하다는 생각이 들었다. 그러나 이들은 가만히 앉아있지만 않았다. 그들은 일어나 혈로를 열고 있었다. 선비의 집안이었기에 틈나는 대로 글공부를 게으르지 않았다.

　그러나 글공부에만 매달리지 않고, 마을 앞의 갯벌을 간척 사업을 통해, 점점 농사를 지을 수 있는 농지로 바뀌고 있었다. 그 결과 갯벌에 서식하는 여러 생명체는 사라지고, 온갖 식물들로 그 자리는 채워지고 있었다. 마을 주민 모두에게 음식 재료로써 즐거움을 주었던, 그 갯벌은 이제 바닷물의 물때에 따라 나타났다가 사라지는 그런 갯벌은 더는 아니었다.

마을 주민 모두의 갯벌은 이제 사라지고 없었다. 그리고 소유주가 있는 농경지가 되었다.

갯벌을 개간하여 땅을 넓혀 풍요로운 곳으로 만들고자 이곳 주민들은 노력하였지만, 오히려 그 갯벌은 소수의 소유주가 있는 농지가 되었다. 물론, 이들은 얼마간의 농지 대금을 내고 정부로부터 불하(拂下)를 받았었다.

그러나 대다수의 마을 사람들은 간척지를 살 형편이 되지 않는 관계로, 이 땅에 대해 불하받을 수가 없었다. 결과적으로 간척 사업은 모두에게 주어지는, 자유로운 소통이 이루어지는 공간으로써의 갯벌이라는 땅만 사라지는 결과를 초래하고 있었다.

그나마 다행인 것은 이 마을의 주민은 대부분 박씨의 일가이거나, 먼 친척뻘 되는 사람들이었다. 갯벌이 사라짐으로써 우선은 음식 문화가 달라졌었다. 갯벌에서 나는 음식물 대신해서 지금은 농산물 위주로 밥상이 차려지고 있었다.

그런 이유로 내가 있는 이곳 장독대는 본래 한적한 곳이었는데, 어느 날부터 분주한 곳이 되고 있었다. 그런 면에서 보면 강진만 깊숙하게 자리 잡은 탐진강 하구의 강진읍 쪽은, 간척 사업으로 인한 갯벌을 농지화하지 않아 천만다행이라는 생각이 들었다.

이런 관계로 강진은 농산물과 해산물의 다양한 재료로 만들어진, 그러한 음식은 과거부터 전래한 음식의 제 모습을 유지하면서, 현재까지 이어져 내려오고 있었기에, 남도 음식의 본 맛이 살아있었다. 오늘날에는 그 음식 맛을 보고자 팔도에서 미식가들이 오고 있었다.

물론, 내가 일품요리를 만들어내는 씨간장으로 있는 한, 박씨 종가댁의 음식 맛은 어디에도 빠지지 않는다고 자부할 수 있었다.

어느덧 세월이 많이 흘러 이곳 땅끝마을에는 어김없이 겨울은 찾아왔었다. 아열대 식물인 야자수가 자라는 남도의 겨울이지만, 그래도 해마다 겨울철이 되면, 매서운 추운 날씨가 겨울임을 말해주고 있었다.

14

물론, 날씨의 절대적인 온도는 그리 낮지 않았다. 그러나 이곳 바닷가는 해풍이 매섭게 불기에, 사람들이 피부로 느끼는 체감온도는 기왕의 온도보다 낮게 느끼게 하고 있었다.

 나는 물끄러미 대문을 바라보고 있었다. 이는 매일 태양이 몸을 숨기는 저녁때가 되면, 그 사람이 찾아올 것만 같아 마음 졸이면서 기다리고 있었다. 그렇다고 그 사람은 현상만으로 오는 사람은 아니었다. 그 사람은 나와 함께 깊은 마음의 대화를 할 수 있는 사람이었다.

 그러나 오늘도 굳게 닫힌 대문만 어두운 밤을 지키고 있을 뿐, 그 사람은 내 앞에 나타나지 않았다. 나는 또, 내일을 기약하면서, 긴 밤을 별과 보내고 있었다.

혼돈의 세월

물론, 바다와 육지가 만나는 바닷가에서 그 한쪽을 잃어버린다면, 그 교차점에 있는 해안가의 모습은 생명력의 다양성을 사실상 잃어버림과 같았다. 아침햇살이 가득 머무는 곳이란 지명의 땅끝 마을 좌일 오일장 역시, 갯벌이 사라짐과 함께 서서히 빛을 잃어가고 있었다.

물론, 이곳 간척지에서 생산한 쌀은, 그 품질이 우수해 전국 여러 곳으로 팔려나가니, 그런 면에서 보면 긍정적인 면도 있으나, 농업 일변도(一邊倒)의 생활양식은 농업에 종사하기 위해 이곳에 남느냐 아니면, 이곳을 떠나 타향에 살면서, 산업화가 시작하는 곳에서 다양한 직종에 종사하여야 하는지, 선택해야 하는 시점이 시작되고 있었다.

더욱이 이런 현상은 해방 이후 서구 자본주의와 민주주의의 본격적인 유입으로, 온 나라가 산업화 초기인 노동 집약적, 저임금의 산업구조로 재편되는 상태이었기에 일어나는 현상이었다. 당연히 인구의 이동으로 들썩이는 것까지 더해, 대가족으로 함께 모여 살던 이곳 마을 사람에게는, 이별의 서곡이 시작되고 있음을 말하고 있었다.

또한, 서구 외부사상의 도입 초기로 인해, 이곳 마을 사회는 여러 곳에서 예(禮)를 중시하는 전통적인, 충효 사상의 마지막 축이 무너지는 어수선한 격동기에 접어들고 있었다.

또, 한편의 이별 서곡은 이곳을 지배하던 동쪽의 섬나라 외세가 물러나고, 이 땅에서 힘의 재 정립 되는 공백 기간, 또 다른 외세와 동족 간 계층과 지역 간 분화 현상은 극렬하게 일어나게 되었다. 그 결과로 동족상잔의 비극에 관한 부분이었다.

이런 비극은 언어로써는 표현할 수 없는 아픔이었다. 어떠한 동기와 이유를 떠나, 오랜 세월 내려오는 인간에 대한 존엄과 그에 파생된 사상의 뿌리는 흔들리고 내려앉고 있었다.

이러한 사회의 혼란은 인간이라면, 기본적으로 인간다운 감정을 유지하고자 하는 마음 작용으로 이루어지는, 철학적인 가치와는 상반된 양상이 나타나기 마련이었다.

다수의 사람은 생산을 위한 수단 개념으로 분화되고 계층화되고 있었다. 그리고 각자는 자기의 목소리를 높이 내고자 하였다. 그러나 이 또한, 그 생산 도구를 상징화한 깃발을 들고, 소수는 자기의 권력 목적 수단에다, 다수의 사람을 이용하는 모습이라는 생각이 들었다.

결국, 각 개인의 인간적인 존엄을 위한다는 명분과 다수의 원초적인 생존권을 위한다는 명분 아래, 다수와 이를 세력화하고자 하는 소수집단의 이해관계가 서로 맞아떨어지는 결과이기도 하였다.

그러나 내가 볼 때는 이는 오히려, 인간의 실존적(實存的)인 존재 가치의 중요성은 안중에 없고, 오로지 인간을 생산의 도구적 측면에서 바라보고, 생산과 분배의 불균형에 따른, 계층 간의 집단적 갈등과 본능적 감정 작용인 소유욕 다툼으로 점철되게 만들고 있었다.

이에 인간으로서 최소한의 감정을 유지하는 마음 작용인 이성(理性)은, 마음속 수면에 깊이 잠겨 버리고, 생산 수단만인 낫과 망치가 어느 날 갑자기 의인화 되어, 절대 절명한 사상의 상징과 기준인 것처럼, 이성의 자리를 차지하고 있었다.

나 역시 그런 원초적인 도구를 들고 인간들이 장독대에 다가올까 봐, 언제나 노심초사하는 날이 많았다. 오늘날로 따지면 많은 노동자가 컴퓨터 자판을 두드리니, 그 자판이 그들이 말하는 사상의 상징과 깃발의 표식이 되는 것과 다르지 않았다.

당연히 이러한 상징은 인간의 정신적인 마음 작용인, 사상의 상징이라 말할 수는 없었다. 결국, 이 또한 야망을 품은 불만족한 소년의 의식에 멈추어선, 어른이라는 이름의 소수인 인간이, 그들의 지배욕을 실현하는 그 수단으로 활용하고 있을 뿐이라는 생각이 들었다.

그러한 상징을 앞세우면서 다수를 불만족한 계층으로 분화시키고, 그들을 지배하고자 하였다. 이는 이미 많은 것을 기본적으로 공유하는 인간 사회임에도 더욱, 소수가 지배하는 국가 권력에 소유시키면서, 이를 민주 사회주의라고 말하고 있었다. 어떤 면에서는 과거 전제 왕권보다 더한 모습을, 오늘날에 보여주는 퇴행적 행위라고 나는 생각하였다.

이는 인간의 몸과 마음 포함하여, 모든 면에서 비민주적으로 지배하고자 하는 모습이었다. 이는 인류 역사 이래로 오늘날이 가장 민주주의가 발달한 인간 세상인데도 불구하고, 가장 원시적인 집단 사회를 이루고자 하고 있다는 점이었다.

이런 집단의 형태를 이루는 것은 이를 통해, 소수는 다수를 공동 집단화하여, 지배하기 편하게 만들고자 하는 모습이라는 생각이 들었다. 결국, 소수에 의해 변화의 기대는 기약이 없어지고, 다수의 인간 생명과 인권을 무자비하게 무너트리면서, 인간 세상을 동물 농장화하는 광풍이 불고 있다는 점이었다.

언제나처럼 착하고 순진하면서도 부지런한 모습으로, 한 가족처럼 지내던 집안의 일꾼들이 동족상잔의 기간 안팎으로, 어느 날 붉은 안장을 어깨에 차고, 손에는 죽창을 들고 나타나, 같은 동족들은 죽거나, 겨우 난을 피해 살아남은 자는 죽을 고비를 넘겼기 때문에, 밤마다 악몽에 시달리면서 밤잠을 설치곤 하였다.

그들은 외부에서 유입된 소수의 지배자와 함께, 무리 지어 사방을 두리번거리면서, 지주들을 찾아 사생결단을 내고자 하였으니, 이 집안 또한, 그 명단에 포함되어 집안의 젊은 자손들은, 어느 한날에 제삿날이 되는 것을 나는 지켜만 볼 수밖에 없었다.

　공권력이라는 이름의 힘은 낮에만 작동될 뿐, 밤에는 더욱이 맥을 추지 못하고 빠져나간 그 틈에, 평소에 농사일로 다져진 근육은, 문약한 지주들을 단숨에 넘어지게 하고, 마을을 공포의 도가니로 만들고 있었다.

　그들은 피를 상징하는 붉은색의 완장을 어깨에 차고 다니면서, 자기의 팔에 붉은 피가 묻히는 것이 훈장인 것처럼, 지극히 비이성적인 행위를 정당화하고 있었다. 그런 행위는 지극히 상대적이고 주관적이며, 감정적인 본능이 작동하는 바탕 아래에서 이루어지는, 비인도적인 행위의 하나라는 점을 나는 인식할 수 있었다.

사람이 사는 집마다 부엌이 있고, 그 부엌에는 요리할 때 쓰이는 식칼과 농사짓기 위한 도구가 있는데, 그 도구가 어떻게 사상을 상징할 수가 있는지, 나는 아직도 이해되지 않는 부분이 있었다. 물론, 이들은 조종하는 소수의 그들은 이를 계급의 상징이라고 말하곤 하였다.

그들은 흔히, 볼 수 있는 농사짓는데 여러 가지 유용한 도구인 낫과 망치가 그려진, 붉은 깃발을 최고의 선의 증표인 양 휘날리고 있었다. 앞서 언급한 것처럼 어찌, 농기구와 공구인 낫과 망치가 사상의 상징이 될 수가 있겠는가?

물론, 낫과 망치는 인간의 역사 이래로 도구화되어 있던 기구이었다. 다만, 서구의 산업화 이후 실제로 자본주의 발전과정에서, 분배에 대한 불평등한 계층이 많이 생겨났었다. 그 계층의 대부분을 차지하는 노동자와 농민들은 붉은 깃발 안에, 낫과 망치로 상징하는 표식을 그려 넣고는, 이를 자신들의 표상이라고 말하고 있었다.

그러나 내가 씨간장으로 오랜 세대를 거쳐 인간의 세상을 바라보았을 때, 이런 공구가 고귀한 인간의 정신작용을 대표하는 상징일 수 없다는 점은 분명하였다.

실제로 오직 물질에 대한 부분의 잣대로, 일정한 하위 계층을 상징한다는 집단은, 권력을 쟁취한 다음 소수의 지배 계층과 다수의 노동자와 농민을 포함한 사회 구성원으로 다시 나누어진다는 점이었다.

그러면서 실제로 도구와는 무관한 소수의 지배자는, 여전히 낫과 망치를 그린 붉은 깃발을 내세운다는 점이었다. 그리고 소수의 권력 집단이 된 이들은, 다수를 독점적이며 독재적으로 지배하였기에, 더는 낫과 망치를 들고 일하는 노동자나 농민이 아니라는 점이었다.

이 점을 어떻게 설명할지 모를 일이었다. 당연히 그들은 온갖 사람 목숨을 제어하는 수단을 통해, 또다시 다수를 억압하고 지배하고 있다는 점이었다.

구색을 갖추어 이를 사상이라고 앞세우고 내세우고는 있지만, 낫과 망치에 어떠한 사상과 논리를 붙인들, 제대로 논리와 사상이 스며들 수는 없다는 점이었다. 당연히 권력을 잡는 이들의 지배 수단에 대한 정당화에 이용하는 모습 이상도 이하도 아니었다는 생각이 들었다.

그러나 오늘날도 그런 황당한 논리와 사상으로 유지되고 있다는 점이 신기할 뿐이었다. 이런 논리는 제대로 된 민주사회에서도 스며들며, 여러 문제점이 드러나고 있다는 점이었다.

이를 이용하는 이들은 자기 자신이 자본주의적 형태의 대농이거나, 자기 소유의 공장에서 일하거나, 아니면 기업체에 고용되어있으면서, 주식 등과 같은 이윤 분배 수단에도 적극적으로 참여하는 사람들이었다는 점이 아이러니힌 모습이있다.

그들은 웬만한 자본가보다 높은 고수익을 올리면서도, 아직도 과거의 피지배층의 농민과 노동자라면서, 자기들의 이익을 쟁취하고자 한다는 점이었다.

이뿐만 아니라 사회의 여러 분야에서도 마찬가지로, 상대적이고 주관적인 기준에 의해, 이런 논리와 이론을 내세우면서 자기들의 이익에 몰입하는 현상이 사회 곳곳에서 일어나고 있다는 점이었다.

사실, 제대로 된 사상이란, 마음속 깊은 사색과 냉철한 판단력이 기반이 되어, 연구 발전하여 형이상학적인 개념의 사상으로 발현되는 것이라는 생각이 들었다.

결과적으로 사상이란 이는 복수 개념의 사회를 논하기 이전에, 각 개인으로의 인간의 마음 깊숙이 자리한 본능적인 욕망과 소유욕을, 인간다움을 위한 감정을 유지하고자 하는 마음 작용을 통해, 이를 절제하면서 논리와 이론을 찾아가고자 노력하는 과정에서 이루어져야 한다는 생각이 들었다.

다수라는 개념으로 개개인의 능력과 노력 여부와 무관하게, 자기들에게 오는 이익의 부족함을 뒤집고자, 본능을 극단적으로 드러내는 야만성을 대변하고자 포장하는 이론이라면, 이를 진정한 사상이라 말할 수가 없다는 점이었다.

고도의 자유 민주주의 사회에서는 오히려, 누구나 다 사장이 처음부터 될 수가 있고 또, 누군가에 고용되어서 월급을 받는 노동자가 될 수도 있었다. 당연히 직업을 선택하여 일하면 사장이 되든 직원이 되든, 모두 노동한다는 점이었다.

 반면에 그렇게 그들이 주창하는 노동자, 농민의 나라라고 하는 곳에서는, 마음대로 사장도 농민도 될 수가 없다는 점이었다. 즉, 마음대로 직업을 선택할 권리가 없다는 점이었다. 이는 역설적으로 한번 선택한 직업이 자기 생의 모든 것으로 대변한다는 점이었다.

 또한, 소수의 권력자는 노동자, 농민이 주인이라고 주장하지만, 자기들은 실제로는 노동자와 농민의 신분으로 일하고 있는 사람은 아무도 없다는 점이었다. 다수인 노동자, 농민은 오히려 직업의 변동성은 거의 없이 타의에 의해 고착되어 평생을 노동자와 농민으로 살아야 한다는 점이었다.

 그래서 이런 사회가 되지 않도록 구성원 모두는 제대로 된 민주사회가 되도록 노력하여야 한다는 점이었다.

반면에 기왕의 자유 민주사회고를 잘 발전시켜나가면 즉, 고도의 복지 민주사회가 되면, 생산에 따른 소득과 분배에 균형이 이루어지게 되고, 또한, 모두에게 복지 혜택이 돌아가도록 하여, 궁극으로는 평등한 사회가 된다는 점이었다.

내가 볼 때는 그렇게 되면 모든 구성원이 고루 잘 살아갈 수 있을 것이라는 생각이 들었다. 다만, 이를 위해 각자가 지나친 욕망에 천착하지 않고, 이성적인 인간다운 인간이 되도록 노력함이 중요하다는 점이었다.

그러기에 우선은 직업의 노예가 되지 않아야 한다는 점이었다. 설령, 직업이 있더라도 직업이 사람의 전부가 되어서도 또한, 직업이 자기를 대표하는 간판이 되지 않아야 한다는 점이었다.

직업이 나의 전부가 되면 그에 따른 수입이나, 역할에 따라 등급이 매겨지고, 직업으로 사람의 등급을 따지기 때문이었다. 더구나 그 직업을 의미하는 원시적인 도구가 최고의 선이요, 목표의 상징이 되는 사회를 꿈꾼다는 점은 어이가 없는 모습이라 할 수 있었다.

그러기에 원초적인 직업으로 상징하는 깃발을 들고, 가장 이상적인 사회를 꿈꾼다는 점은, 지극히 모순이라는 점을 알아야 한다고 인간들에게 알려주고 싶었다. 더구나 이런 모습은 사람들을 기만할 것에 불과하다는 점이었다.

붉은 깃발을 들면서 다수를 위한다면서도, 실제로는 지배 욕망이 가득한 소수가 다수를 지배하고자, 이용하기 좋은 가장 좋은 깃발이 아닐 수 없었다는 생각이 들었다.

나는 오늘도 인간 세상을 바라볼 때는 답답함이 그지없었다. 대를 이어 긴 비극과 그로 인한 짧은 행복의 순간을 반복하는 인간 세상이 안타까울 뿐이었다. 그리고 이 답답함을 깊은 사색을 통한 수준 높은 의식으로 대화하면서 풀어나갈, 후대의 인간 세대를 기대해 볼 수밖에 없었다.

그런 혼란의 와중에 산업화 이전의 아주 원시적인 생활 도구인 낫과 망치와 비교되는 더, 원초적인 상대적인 평가 방식과 그에 따른 행위로 인해, 많은 양식 있는 이들은 타의에 의해 추풍낙엽이 되어, 이승을 떠나 저승으로 가곤 하였다.

이런 혼란상도 민족상잔 이후 서방 민주 세력에 의해 진정이 되고, 우여곡절 끝에 민주사회가 시작되고 있었다. 그런 난리를 겪은 마을 사람들은 안도의 한숨과 함께 이러한 혼란 상황의 반작용으로 마을에는 오히려, 울음소리와 함께 새로운 생명이 줄줄이 탄생하였다.

이를 통해 강인한 인간의 생명력을 엿볼 수가 있었다. 폭발적인 인구 증가로 또, 하나의 이별 조건이 만들어지고 있었다.

그 이유는 작은 공간의 들녘으로는 많은 이들의 욕구를 감당할 수가 없었기 때문이었다. 그러기에 마을 사람들은 어떤 이유를 들어서라도 기회를 만들어, 조상 대대로 살아온 땅이지만, 이를 처분하고 마을을 떠나갔었다.

물론, 자기 이름으로 된 땅에서 제대로 농사 한 번 짓고자 하는 일부, 소작농의 소원 풀이와 조상 제사 일로 남은 종부와 그리고 극히, 소수지만 이곳을 떠나 다른 곳에서는 거주 생각을 할 수 없는 외골수의 사람 말고는, 대부분 마을 사람들은 이곳 마을을 순차적으로 떠나고 있었다.

모처럼 고난의 가족사에서 벗어나, 마을의 전통적인 지주의 집안으로 자리 잡은 박씨 집안은 이런 시련 속에서 이제 또, 다시 이곳 마을을 떠나야 하는 이유가 있었다. 나 역시, 언제 이 집 사람들이 나의 몸인 항아리를 깨거나 팔고 떠날지 또 노심초사하고 있었다.

　그러나 다행스럽게도 이 집안의 삼 형제 중에서 자식이 비명횡사(非命橫死)하는 상처가 제일 큰 맏형이 남기로 하고, 나머지 두 형제는 순차적으로 이곳을 떠나기로 하였었다.

　큰형은 책임감과 시대정신이 강한 사람이었다. 그는 모든 것은 우리가 자주적으로 이 땅을 지키지 못하고, 외세에 의한 지배를 당한 세월 이후 혼란이 발생한 것임으로, 이 모든 것을 용서와 화해로 덮고 가야 한다는 생각을 지닌 사람이었다.

　더구나 이곳은 귀양 온 조상이 한을 가슴에 묻은 체, 이 마을 뒷산에 모셔있는 관계로, 자기 대에서 발생한 문제를 극복하지 못한 체 또, 이곳을 떠난다는 것은 용납할 수 없었다.

어린 소년의 등장

아침에 일어나 보니, 온 산하가 온통 하얀 눈 세상이었다. 간밤에 눈 소식이 없더니만, 깊은 밤에 소리 없이 내린 모양이었다. 오래간만에 여러 생각 속에 사색하는 나들이를 하였더니 그 여독이 풀리지 않아, 깊은 잠에 빠져 늦은 아침에서야 눈을 뜨고, 장독대를 바라보니 내 주변은 온통 하얀 눈 세상이었다.

이 마을은 바다 가까운 곳이었다. 그래서 장독대에서도 바다가 보였다. 바다를 바라보는 남쪽의 풍경은 비록, 인위적인 자연이지만 넓은 논밭이 펼쳐져 있었다. 지금의 이런 들판은 과거에는 바닷가 생명이 자유롭게 뛰어놀던 갯벌이었는데, 이 집 사람들을 포함해서 온 마을 사람들이 간척 사업을 하여, 이제는 이렇게 논과 밭이 형성되어있었다.

시선을 서쪽으로 돌려 돌담 넘어 서쪽의 바깥을 보았다. 나는 남쪽보다는 서쪽을 훨씬 선호하였다. 왜냐하면, 그쪽은 수려한 두륜산 연봉이 보이고, 그 끝자락엔 제주도 성산 일출봉과 닮은 일명 투구봉이 보이기 때문이었다.

그 투구봉은 시선을 남쪽으로 한 체, 저 남쪽 바다 멀리 제주에 있는 형제를 그리워하고 있는 모습이었다. 나처럼 비 폭력주의자는 투구라는 전투적인 이름보다는, 누군가를 그리워하는 서정적인 이름이었으면, 훨씬 좋았을 것 같다는 생각이 들었다.

사실, 전투는 잠깐, 동안 일어나는 현상이었다. 왜냐하면, 궁극으로는 평화를 위해 전쟁을 하기 때문이었다. 또한, 전투는 생명을 걸고 아픔을 나누지만, 평화는 생명을 걸지도 않고, 아픔도 없이 평화를 길게 유지하는 것이었다.

 나는 비록, 대를 이어 내려오면서, 인간의 생명 연장의 소중함을 상징하는 씨간장이지만, 최소한 인간이라면 동물적인 본능에 따른 감정을 절제하고, 인간답게 생각하고 행동하는 감정을 틈 없이 유지해야 한다는 생각이었다.

 그러기에 목숨을 담보로 인간끼리 살생하는 행위는, 그 어떤 이유와 명분을 가진다 해도, 비이성적이고 비인간적인 행위임은 틀림없다는 생각이 들었다.

 이곳의 종택은 이 집으로 양자 올 어린 소년의 조상들이, 이곳으로 귀양 온 후에서부터 살아온 고택이었다. 물론, 나는 양자 올 소년은 이 집 대주의 바로, 밑 동생 둘째 손자임을 이 댁 종가 며느리의 치성 드리는 내용을 듣고 알게 되었다.

이곳의 장독대에 있는 항아리들은, 소년의 조상 대대로부터 쓰던, 한 백 년 이상 넘어가는 항아리들이었다. 물론, 아무리 조심하여 다룬다 해도 항아리는 깨어지기 쉬운 것이 물건이었다. 그래도 씨간장인 나를 보관하던 항아리는, 아주 오랜 세월 잘 그대로 남아있었다.

 이 집안은 유학자의 집안이었지만, 이곳에 귀양 온 이후 살림살이가 넉넉하지는 않았었다. 그래도 집안 대대로 내려온 전통을 중시하였기에, 대를 이어 내려온 씨간장과 장류와 온갖 장아찌를 담아 놓은, 항아리들을 소중히 다루고 있었다.

 내가 있는 장독대의 항아리들 위에도, 하얀 눈은 어김없이 소복이 쌓여있었다. 그중에서도 유독 눈길이 가는 항아리가 있다면, 그 항아리들은 씨간장과 된장인 나의 형제들을 담고 있는 특별한 항아리들이라 말할 수 있었다.

 이 항아리들 역시, 나처럼 대대로 내려오는 씨간장이나, 귀한 장류를 담아 놓은 항아리이었다. 또한, 나의 형제들 이외 귀중품들을 가끔 보관하던 항아리이기도 하였다.

또한, 내가 머무는 항아리는 다른 큰 항아리와는 달리, 키가 어린 소년의 키 높이의 항아리이었다. 그리고 이 항아리는 일반 항아리와는 달리 유약이 짙게 발라져 있어, 다른 항아리에 비해 좀 더, 화려한 무늬가 있어 그 멋스러움이 있었다.

이처럼 장독대의 항아리들은 다양한 용도로 쓰임이 있었다. 그래서 사람들은 그 집안의 살림 규모를, 선대로부터 내려오는 항아리의 개수에 따라, 그 집안의 내력을 살펴볼 수도 있었다. 그런 장독대의 항아리들이었기에, 어쩌면 집안에서도 매우 소중한 장소로 여겨졌었다.

그런 장독대는 여러 사람의 손을 타지 않은, 안채 깊숙한 양지바른 곳에 두곤 하였다. 그러기에 이렇게 눈이 오는 날은 장독대에도 하얀 눈이 소복이 쌓여, 오랫동안 하나같이 하얀 모자를 눌러쓰고 있었다.

당연히 이 댁의 종부가 눈을 쓸지 않는 한, 나를 담고 있는 항아리를 비롯한 다른 항아리들은 한참 동안, 하얀 눈의 향연 속에 망중한을 즐길 수 있었다.

앞에서도 언급했듯이, 내가 사는 마을은 집성촌으로, 같은 씨족이 함께 모여 사는 작은 마을이었다. 물론, 토박이도 몇 있었으나 대부분 마을 주민은 영암에다 뿌리를 내린 조상이 사화(士禍)를 겪고, 이곳으로 귀양을 와서 새롭게 터를 잡고 지내는 곳이었다.

 물론, 다른 귀양과는 다르게 본가가 귀양지가 가까운 영암인 관계로, 직계 식솔들이 함께 이주하였다. 다만, 실제로 거주하기가 매우 어려운 불모지인 갯벌에 가까운 황무지이었기에, 귀양살이가 한참 지난 후 용인을 받은 것 같았다.

 강진만 가까이 간척하면서 새로운 간척지에 농토를 일구면서 살아온 씨족이었다. 이렇게 대를 이어져 내려오다가, 근대에 이르려 소년의 조부 대에 즉, 삼 형제가 사는 동네일 때, 가장 흥한 모습이었다. 삼 형제 중에서 둘째가 사는 집이 앞으로 큰집으로 입양되어 오는 소년의 조부가 사는 집이었다.

그러나 그런 흥한 시절은 그리 오래가지는 못하였다. 왜냐하면, 이 땅의 지배 세력이었던 일제의 패망 후, 새로운 강한 사회질서 세력이 자리 잡지 못하여, 사회의 혼란기가 지속되고 있었기 때문이었다. 내가 볼 때는 매번 사회의 혼란기란 과거부터 세력을 잡던 세력이 흔들리는 과정을 말하는 것 같았다.

이런 사회적 갈등은 같은 인간인 동족 간의 참화로 번지면서, 한국전쟁이 일어나기 일 년 전, 당시, 이 종가의 큰아들 부부는 결혼 일주년을 앞두고 함께 유명을 달리하였다. 당연히 자식도 없는 상태이었다.

이 집안의 비극은 이렇게 끊임없이 이어져 내려오고 있었다. 크게 상심한 이 댁 종가의 대주는 동생의 둘째 손자를 자기 아들의 양자로 입적하고자 하였다. 물론, 아들 손이 귀한 집에 다행히 두 동생은 손자들이 여러 명이 있었기 때문이었다. 이러한 상황이 어린 소년이 큰 조부 댁으로 양자 오는 이유라 할 수 있었다.

특히, 어린 소년을 택한 이유도 있었다. 이 집의 대주를 비롯한 모두는 유학을 비롯한 한학에 조예가 있는 사람들이었기에, 여러 점을 검토한 끝에 친지 중에 가장 적합한 어린 소년을 양자로 선택하기로 하였다.

어린 소년 역시, 큰 조부 댁이 자신의 본가인 듯, 자주 오가는 익숙한 곳이었기에 불만은 없었다. 소년의 이름은 족보에 이름이 두 개가 올라 있었다. 본래 부르던 이름과 이 집안의 종가로서 대를 이을 이름이었다.

특히, 이 집안의 영암에 자리 잡은 중시조는 자손 중에 큰 문장가의 탄생을 원하였다. 오죽하면 호를 오한(五恨)이라 하면서, 그 오한 중에 하나로 자식 중에 꼭 문장가가 나오지 못해, 집안이 항상, 문화의 꽃이 피지 못함을 한으로 여겼었다.

그 이유로는 아픈 사연이 있었다. 본래 한양에서 관직을 지내고 있었지만, 전제 왕조의 꽃놀이패인 사대부는 언젠가는 그 권력의 재물로 상처를 입어야 했었다. 사실상, 왕이 외는 그 누구도 인권이란 없었던 시절이었기 때문이었다.

사실, 권력은 인간에게 있어, 가장 야망에 불타는 본능의 한가운데에서 피어나는 탐욕스러운 꽃이었다. 부정한 방법으로 쟁취한 절대 권력을 대를 이어, 수백 년 내려오는 전제 왕정을 반기고 좋아하는 사람은 그 시절이나 지금이나 없었을 것이라는 생각이 들었다.

　더구나 자연과 우주의 이치와 인간의 도리와 예를 한평생 공부하고 읽히고, 사색하는 선비들은 그 답답한 심정을 어찌 견디어 냈는지 이를 지켜본 나 역시, 가슴이 시커멓게 타는 심정이었다.

　결국, 도를 닦으되 현실참여 하여 사회를 어찌하든 개량해보고자 하는 유학자와 자연 깊숙한 곳에 거처 삼고, 그곳에서 마음속 호연지기를 키우면서, 도를 닦은 자연인이자 도인으로 살아가는 선비들이 있었다.

　자연 속에서 살아가는 선비들은 절대 권력에서는 멀어졌지만, 이곳이야말로 그들이 꿈꾸던 평등한 민주사회임을 의인화와 은유를 통해, 그들의 저서로 나타내고 있었다.

그러기에 나는 그 시절의 저서들을 오늘날의 눈높이의 잣대로, 지극히 미시적인 해석을 하고자 하면, 저서의 정곡을 제대로 파악하지 못한 체 유려한 수사로 겉만 보는 것에 불과할 수 있음을 말해주고 싶었다.

중시조인 오한은 깨우친바 권력에서 비켜나 낙향하여, 나주에서 여러 후학의 양성에 힘을 쏟고, 틈틈이 문화유산의 창달에 집중한 결과로, 경기체가의 하나인 금성 별곡을 발표하였다.

그러나 후일 제자들이 관직으로 진출하니, 이 또한, 그 권력의 영향은 다시 중시조에게 미치게 되었다. 이에 오한은 다시 영암의 구림이라는 곳으로 입향조가 되어 이곳에서 정착하게 되었다. 후손은 오한 사후, 그를 기리는 곳으로, 이곳 영암의 죽정서원이라는 곳에 위패를 모시고 있었다.

사실, 죽정서원이란 대나무 죽과 정자 정이기에, 직역하면 대나무 정자에서 학문과 문학과 예술을 정진하여, 인류의 보편적 문화 향상에 힘쓴다는 큰 의미이었다.

또한 대나무 정자란 처음과 끝까지 반듯하고 올곧은 절개와 지조를 유지한다는 말이었다. 문화란 본능에 이끌리는 감정에서 벗어나, 이를 절제하고 조절하는 인간적인 감정인 이성을 바탕으로 이루어지는 산물이었다.

그런 문화는 당연히 어떠한 시대나 권력과 사상과는 무관하게 문화라는 이름 그 자체로 만으로도, 오늘날 후손은 "인류 문화유산"이라는 이름으로 소중히 보호하고 발전하고자 노력을 한다는 점이었다.

물론, 내가 볼 때는 죽이라는 의미는 대나무도 의미하지만, 아직 한글이 보급되어 보편화되기 이전의 시대이기에, 한자에다 이두라는 음을 따서 우리말로 쓰던 시절이기도 하였다.

그래서 "죽정"이란 "죽은 듯이 고요하게 움직이지 않는다"라는 의미가 속뜻으로 있을 것 같다는 생각 하여보았다. 이와 유사한 예로, 이곳 해남의 연동리에는 "죽음사"라는 영모재가 있다. 이곳은 밀양 박씨의 사당으로 재 지내는 곳이었다.

언뜻 들으면 "죽음사"가 죽음을 의미하는 곳으로 오해할 수가 있었다. 그러나 내용인즉 죽은 대나무 죽이고, 음은 음양을 의미하는 음을 말하고 있었다. 이 말을 해석해보면 "음지의 대나무"라는 뜻으로, 자기를 드러내지 않고 마음속으로 곧은 절개와 지조를 지키고 있음을 의미하고 있었다.

이곳에 묻힌 선비는 사육신과 교류가 있던 분으로, 중국 출장을 돌아오다 사육신이 참형을 당했다는 소식에, 자결을 한 분으로 후손과 지역에서 이의 뜻을 기리어, 이곳에 사당을 세운 후 이제는 문화재로 보호하고 있었다.

아직 한글과 이두를 혼용하여 쓰고 있던 시절에, 한자에다 죽음이라는 우리말로 음을 달아, 그 속내를 나타내는 것이란 생각이 들었다.

이런 중의적인 의미를 암시하는 글을 쓴다는 것은, 절대 왕정 시대이기에 글을 비롯한 문학이나 예술가들 포함, 왕 이외 모두는 언론과 표현의 자유가 없는 시절을 살고 있음을 잊지 않고, 작품을 대하여야, 작가의 숨은 작품의 의도를 파악할 수 있음을 말해주고 싶었다.

또한, 함양 박씨 영암 입향조인 오한(五恨) 공이 월출산이라는 빼어난 암산이 있는, 이곳 영암에 자리 잡은 속뜻도 상당한 중의적 의미가 있었다. 월출산의 월은 달을 의미하며, 출은 나온다는 의미가 있기에, 달이 뜨는 산이라는 말이었다. 또한, 영암에서 영은 신령한 영과 암은 바위를 뜻하였다.

깊은 자연의 이치를 찾아 오랜 세월 좌정하면서, 마음을 깊이 살피다 보면, 어느 순간 지혜의 밝은 빛이 차오름을 느낀다는 의미가 있었다.

이를 내가 볼 때, 달은 오(午)를 뜻하고, 정(丁) 화를 뜻하였다. 이는 달빛이자 인공의 빛을 의미하니 문명의 등불이라는 뜻이었다. 바위는 무생물이지만 그 생명력은 영원성을 지니고 있었다.

이에 오한 자신은 비록, 전제 왕정 아래에서 죽은 듯이 살아가고 있지만, 언젠가는 후손들을 포함한 모두가 평등하면서도, 인간다움을 자유롭게 실천하는 세상에서, 아름다운 문화의 꽃을 피우면서 살아가기를 간절한 마음의 바램의 있었다는 생각이 들었다.

그러기에 영원히 꺼지지 않는 문명의 빛을 발하는 근원이라 곳이라는 뜻으로, 왕인 박사의 고향인 이곳에서, 오한 공은 평소에 지론으로 문화의 꽃이 만발하게 창달할 수 있는 자손이 태어나기를 소원하였다. 그리고 자기의 못다 한 한을 풀어주기를 간절히 소원하였음을 나는 알고 있었다.

그러나 고광(孤狂)이라는 호를 지닌 아들은 사초를 담당하는 중앙 관직에 진출하여, 곧은 성정 그대로 바르게 사초를 관리해오다, 두 번의 사화에 연루되어 과거에는 영암이라 불리었던 이곳 땅끝 마을로 귀양을 오게 되었다.

아마도 오한이란 호를 쓴 이유도 관직의 일로 당신과 자식이 이런 고초를 겪은 것을 염려하여, 미리 경책하는 의미이었다는 생각이 들었다. 그러나 예나 지금이나 자식을 이기는 부모가 없는 것 같았다. 더욱이 뜨거운 청춘이기에 차갑고 냉철한 이성이 존재한다 한들, 그 정열을 숨기고 살기 어려운 것이 청춘의 기세라고 나는 생각이 들었다.

모두는 예외 없이 부모가 되는 나이쯤에서, 절제가 미덕이라는 생각을 알기 시작한다는 점이었다. 그러나 안타깝게도 인간과 자연의 세상에서 많은 점을 깨우칠 때쯤 되면, 세상을 떠나는 나이가 된다는 점이었다.

그런 입향조의 유언을 잘 아는 후손들은 언제나 그 시조의 소원을 이루기 위해 노심초사를 하였다. 그래서 이번에도 소년의 이름을 빛날 찬 자에 글월 문의 합자인 찬문(燦文)이라 지었다.

그러다 보니, 소년의 이름은 큰집과 본래의 집에서 부르는 이름과 호적에서 부르는 이름으로 각기 다르게 부르게 된 것이었다. 어린 소년에게는 남들과 다르게 입양이란 색다른 경험을 하게 됨으로써, 이곳에 대해 다른 사람보다 두 배가 넘은 애정과 추억을 갖게 되었음을 추측해 볼 수가 있었다.

소년과 하얀 눈

  내가 아는 소년은 언제나 활기차고 순진한 소년
이었다. 그리고 그 소년은 하얀 눈을 좋아하였다.
미래에 나를 만나 좋은 대화를 나눌 수 있을 것이
라는 생각을 하여보았다. 그런 소년에게 하얀 눈
밭은 좋은 사색의 기제이었다.
  하얀 눈밭은 하늘을 날 수 있는 활주로가 되기
에, 소년의 마음은 이내 그 하얀 눈밭을 통로 삼
아, 힘차게 썰매를 타듯이 달리기 시작하였다. 그
리고 마침내 하늘을 날 수 있었다. 그리고 어린
소년의 마음은 하늘과 하나가 되는 듯하였다.

소년에게 하늘이란 밝은 낮에 보이는 하늘만을 의미하지는 않는 것 같았다. 마음속의 무한한 우주 공간을 의미하며, 그 공간은 모든 것을 생각할 수 있는 공간을 의미하기도 하였다.

그러기에 나의 동료들이 들판에 수놓은 하얀 눈밭은, 한동안 소년의 마음속에 머물면서, 무한한 마음 공간의 확장을 도와주는 훌륭한 사색 기제가 되었다. 소년의 마음속에 내재한 기왕에 있던, 작은 욕망은 서로 부딪쳐서 널브러지고 있었다. 이 모습은 마음의 상처라고 말할 수 있었다. 그런 상처는 차갑고 거센 바람이 사방에서 불어와, 이를 이겨내지 못한 부러진 나무의 가지 모습과 같았다.

그러나 그런 마음의 상처는 금방 아물고 있었다. 그 상처 위에 하얀 솜이불처럼 두껍고 부드러운, 하얀 눈이 내려 이를 감싸고 있었기 때문이었다. 물론, 아직 어린 소년의 마음속에서 구체적으로 사색이란 의미가, 마음에 각인 되어있지는 않았지만, 그러나 내가 볼 때, 소년은 분명 하얀 눈을 사색 기제로 활용하고 있기에 가능한 일이었다.

이처럼 깊고 넓은 사색의 강이 소년의 마음속에 흐르게 하는 나의 동료인 하얀 눈은, 소년에게 가장 든든한 사색 기제이었다. 언젠가는 어른 소년이 생명을 다해 차가운 대지에 누워있을 때라도, 하얀 눈은 차가운 바람을 막아주는 이불이 되어줄 것이라는 생각이 들었다.

하얀 눈은 높고 낮은 곳과 무관하게, 가장 가시적으로 세상을 하얀색 하나로 호흡하게 하는 존재라 말할 수 있었다. 온 대지 구석구석 빈틈이 없이 차곡히 내리는 우리는, 어린 소년에게 항상 고마움을 느끼게 하는 존재라 할 수 있었다.

겨울이 오면, 소년은 마음이 답답할 때마다 들판으로 나가, 잠시 하얀 눈을 바라보는 시간을 갖곤 하였다. 그리고 이내 울긋불긋하고, 울퉁불퉁한 마음을 차가운 하얀 눈 이불로 덮고 있었다.

어린 소년은 마음속의 욕망을 스스로 소비되게 하여 사라지게 만드는 재주가, 하얀 눈에 있음을 알았다. 이처럼 매일 조금씩 어린 소년 마음속에서는 사색의 물결이 더, 크게 더 높이 사색의 파도가 되어 춤추고 있었다.

소년은 집으로 돌아와 조심스럽게 작은 눈사람을 만들기 위해 마당에 쌓인 눈을 쓸어 모으고 있었다. 어린 소년에게 이러한 행동은 울력이라고도 말할 수 있었다. 적절하게 몸을 조절하면서 마음은 고요함 속에 사색함을 유지하고자 하였다.

소년의 이런 행위는 마음도 쉬는 시간을 가지는 것을 의미하였다. 물론, 이런 습관은 미래의 어른 소년이 되어서도 멈추지 않고 있었다.

물론, 사색하는 마음 작용이 없이 마당에 내리는 눈을 단지, 정리해야 하는 불필요한 존재로만 본다면, 마당에 풀이 자라지 못하도록 제초제를 뿌리거나, 아니면 콘크리트로 포장하는 시각과 같은 것이라 볼 수 있었다.

내가 머무는 이곳 시골에는 정말 돌들이 많이 있었다. 들판에는 온통 돌밭이라고 보면 틀림이 없었다. 그러는 의미에서 본다면 이곳은 사람의 손이 별로 타지 않는 곳이었다. 아스팔트 포장과 시멘트로 지은 집들이 별로 없는, 이런 시골에서는 옛날부터 존재해온 돌들은 사라지지 않고, 고스란히 담 속의 돌로 그 존재를 뽐내고 있었다.

그러기에 돌을 쌓아 만든 돌담은 시골을 의미하는 하나의 상징이기도 하였다. 자연 속의 인간이 할 수 있는 일이라는 것이 이렇게 요령껏 작은 돌을 다루는 것이라는 생각이 들었다. 어린 소년 역시 돌을 좋아했었다.

특히, 이끼 낀 돌을 좋아하였다. 비록, 몸은 단단하여 그 어떤 것도 심을 수도 받아들일 수도 없는 돌이지만, 그래도 이끼라도 심을 수 있게 자기의 몸을 내어주고 있기 때문이었다.

그런 돌의 노력에 어린 소년은 작은 보탬이 되고자, 그 돌에 물을 수시로 주고 있었다. 그런 돌들은 우리 동료들이 내리는 비와 눈으로 이제는 파란 꿈을 품은 이끼와 식물이 자라는 토양이 되어, 어린 소년과 함께 자연을 노래하고 있었다.

역시, 내 생각이 맞았다. 종택에 입양된 소년은 무척이나 총명한 소년이었다. 내가 듣기로는 입양 전 소년은, 그 소년의 형보다 세 살이나 어렸지만, 행동거지나 생각의 씀씀이가 소년의 또래에 비해, 무척 어른스러운 모습을 보였다고 하였다.

예를 들면 세 살이 안 된 나이에도, 시골집의 높은 툇마루를 떨어지지 않고 살금살금 기어서, 이쪽에서 저쪽 끝까지 땅바닥으로 떨어지지 않고 건너갔었다고, 소년의 부모는 말을 전하고 있었다.

그리고 다른 소년에 비해 옷을 지저분하게 입거나, 쉽게 더럽히지 않았다고 하였다. 이런 소년이었기에 입양 전부터 이 집안의 종손 감이라고 말하면서, 많은 어른에게 귀여움을 독차지한 소년이었다. 그래서 어른들은 사랑채에서 그들의 사교모임을 가질 때마다, 어린 소년을 그들의 자리 가운데다 앉히고, 여러 학문과 예술을 가르치면서 공유하곤 하였다.

나 역시 기쁜 마음으로 그런 소년의 화려한 등장을 기다리고 있었다. 그리고 나의 관심은 온통 소년에게 가 있었다. 언제가 곧 다가올 소년과 깊은 대화를 기대하면서, 그동안 오랜 세월 이날을 기다리면서 쌓인 나의 답답함을 이제 풀어보리라는 생각을 하였다.

소년은 매년 겨울이 오면 첫눈이 오는 날을 기다리고 있었다. 오늘도 언제나처럼 잠자리에서 일어나자마자, 창문 너머 하늘과 차돌이라 불리는 돌과 황토를 섞어 올린, 어른 어깨의 높이 보다 낮은 돌담을 번갈아 바라보고 사색에 잠겨있었다.

내가 이런 소년의 모습을 자세히 바라볼 수 있었던 이유는, 내가 있는 장독대 쪽으로 소년의 방의 창문이 나 있었기 때문이었다. 내가 볼 때는 소년의 이런 행동은 하루아침에 이루어진 낯선 행동이 아니었기에, 그런 동작이 아주 자연스러운 모습이었다.

내가 지켜본 바로는 소년은 비와 눈을 다 좋아하는 모습이었다. 그런데 그중에 하얀 눈을 무척이나 더 좋아하는 모습이었다. 아마도 이런 이유가 있으리라는 생각이 들었다. 비와 눈, 둘 다 하늘에서 땅으로 내리는 사색 기제임은 틀림이 없지만, 비는 대지에 내리는 순간 모양을 유지하는 생명력과 유효성은 짧았다.

반면에, 하얀 눈은 춥고 외로운 겨울날 세상의 이불이 되어, 모든 걱정 근심 이제는 그만하라는 듯이, 하얀 이불로 한동안 세상을 감싸는 모습에서, 소년은 하얀 눈을 더 좋아하지 않을까 생각해 보았다.

소년은 역시, 기다리는 손님은 하늘에서 내려오는 하얀 눈이었다. 소년은 오늘도 하얀 눈을 하염없이 기다리고 있었다. 어느 날 드디어 하얀 눈송이가 하늘 가득, 온 세상을 향해 춤추듯이 내리고 있었다. 소년은 기다리던 하얀 눈의 방문에 반가워하면서 미소를 짓고 있었다.

소년은 하얀 눈이 소복이 쌓이면 이번에는 꼭, 제대로 된 눈사람을 만들 예정이었다. 나 역시 이번에는 소년이 제대로 눈사람을 완성하기를 간절히 소원하고 있었다. 소년은 재주가 많은 집안에서 태어난 탓인지, 소년 역시 손재주가 뛰어났다. 소년의 부친 또한, 머리와 손재주가 근동에서는 알아주는 사람이었다. 그래서 서울에 있는 소위 명문중학교에 일찍 상경하여 입학하게 되었다.

당시의 중학교는 고등학교 과정까지 공부하는 학습 편제이었다. 그러나 결국, 어린 소년의 부친은 난리 통에 수난당한 조부와 그 충격에서 벗어나지 못하였다. 조부는 쇠약해진 몸으로 사회활동에 전념할 수 없었다.

그로 인한 집안의 가세마저 기운 탓에, 소년의 부친은 학업을 계속하지 못하고, 이곳 시골에서 일찍 결혼하여 소년을 낳고 살아오고 있었다. 결혼 후에는 생업에도 집중하지 못하는 세월을 보내 결국, 오랜 세월이 흘러 명예 졸업장을 받는 아픔이 있던 세월이 기다리고 있었다.

온종일 소리 없이 내리던 하얀 눈은 시골 마을을 온통 하얀 세계로 만들어 놓고 있었다. 소년은 호기심 어린 눈길로 하얀 눈에 눈길을 주고 있었다. 내가 사는 이곳 마을은 해안가 마을이었기에, 집 앞의 공터에는 조개류를 비롯한 해산물을 먹고 난 후, 그 껍데기를 버리는 공간이 있었다. 일종의 조개 무덤인 "패총"이 있었다.

이곳에 사는 사람들은 마을 입구에 전래하여 내려오는 장승과 새 모양의 솟대를 만들어 놓았었다. 그리고 집 집마다 대문 옆에다 이처럼 조개무덤을 만들어 놓았었다. 바닷가 가까운 마을에서 보이는 풍습이었다. 아마도 이는 바다에서 일어나는 액운을 막고자 하는 일종의 주술적 관습 행위이었다.

　이곳에는 집안에서 오랫동안 쓰던 귀한 그릇이 깨어진 것도 버리곤 하였다. 아마도 집 안으로 들어오는 안 좋은 기운을 막는 일종의 상징물 같은 곳이었다.

한들거리면서 내리는 하얀 눈은 굳어있던 소년의 얼굴을 간지럼 태우면서, 따스하게 감싸 안아주고 있었다. 하얀 눈은 이제 지상에 사뿐하게 앉아, 이곳저곳 메마른 대지 위에 하얀 목련꽃을 한 송이씩 안겨주고 있었다.

눈이 제법 쌓여 내가 있는 항아리의 발목을 덮고 있었다. 이곳 남도의 겨울은 눈이 내리면 특히, 바람이 없는 날의 눈은 해안가의 특성상 습기를 많이 머물고 있기에, 눈사람을 만들기에 적격이었다.

하얗고 고운 눈은 일부러 눈을 섞어 반죽하지 않아도, "뽀드득"이라는 특유의 소리를 내면서, 서로 떨어지지 않았다. 소년이 기다리는 함박눈이 내리는 이런 날에는, 소년의 모습을 닮는 눈사람을 만들 수 있는 절호의 기회이었다.

소년은 주섬주섬 하얀 눈을 뭉치기 시작하였다. 우선 하얀 눈을 모아 양손으로 꼭꼭 눌러 작은 공 모양의 눈덩이를 만들었다. 그리고 이를 눈이 쌓여있는 대지에다 내려놓고, 그 작은 눈덩이를 굴리기 시작하였다.

솜처럼 대지에 내려앉아 쌓여있던 눈은 공 모양의 눈덩이가 그 위를 지나감에 따라, 무명 이불 개어놓듯이 잘 감겨 들고 있었다. 이렇게 만든 눈 큰 두 덩어리를 상하로 포개, 이제 눈사람의 몸통이 완성되었다.

소년은 손재주가 좋아서인지 생각보다는 눈사람을 잘 만들었다. 주변의 재료를 사용하여 금세 눈사람을 다 만들어 놓고 있었다. 소년은 눈사람의 얼굴의 얼굴과 팔을 만들 재료를 준비하였다.

부엌 광으로 들어가 마른 붉은 고추와 숯덩이와 솔가지들을 준비해 나왔다. 옛날의 부엌은 가마솥과 아궁이가 함께 있는 곳이었기에, 아궁이 옆에는 마른 솔가지와 장작들이 구비되어있었다. 물론, 기타 음식 재료는 연기 속에 훈제되어 잘 보관이 되고 있었다.

 어린 소년은 주섬주섬 눈사람의 재료를 가지고 나왔다. 그리고 잘 말린 붉은 고추로 눈사람의 입술을 만들었다. 또한, 검은 숯덩이로 눈썹과 눈망울을 만들고, 솔가지를 이용하여 양팔을 만들었다.

 한참 시간이 흘러간 후, 어린 소년은 온몸에서 뜨거워 짐을 느꼈다. 자기 자신도 모르게 두어 시간을 훌쩍 넘기면서, 눈사람을 만들기 위해 몰입하였었다.

 그리고 이윽고 소년은 돌담 모퉁이 옆 장독대 근처에 작은 하얀 눈사람이 만들어 놓았다. 하얀 눈사람은 환한 미소를 짓고 있었다. 소년 역시, 하얀 미소를 지어 보였다. 이제부터 한동안은 친구가 생겨 외롭지 않을 생각에서 오는 모습이었다.

내가 볼 때, 아무래도 하얀 눈사람의 모습은, 사랑채에 있는 선비 책상 앞에서 글을 읽는 백발노인을 닮은 듯하였다. 그리고 꼬박 한자리에 눈이 녹을 때까지 서 있는 눈사람의 모습은, 가부좌한 모습으로 앉아 서책을 읽는 미래의 어른 소년의 모습이라는 생각이 들었다.

 다만, 눈사람의 모습은 배가 볼록 나온 모습이었다. 아마도 소년은 배가 볼록 나온 눈사람을 원하는 것은 아니었지만, 눈이라는 재료의 특성상 이는 어쩔 수 없는 선택이라는 생각이 들었다. 그래도 모든 것이 궁핍하였던 시절에 살찐, 그런 형상의 눈사람은 소년에게 배부름에 대한 대리 만족감을 주곤 하였다.

 그렇게 완성한 눈사람은 분명 어린아이는 아니었다. 그런데 묘하게 소년을 닮아있었다. 그 눈사람은 미래의 소년 모습인 어른의 모습이라는 생각이 들었다. 이처럼 하얀 눈과 눈사람은 소년에게는 언제나처럼 중요한 사색 친구이었다. 물론, 아직 소년의 나이에 사색이라는 단어의 의미는 알 수가 없는 모습이었다.

먼 훗날 소년이 성장하여 어른이 된 다음, 그 시절 어린 소년의 생각과 행동을 잘 헤아려 볼 것이라는 생각이 들었다. 아직은 안타깝게도 나와 어린 소년은 서로가 대화하는 사이가 아니었다. 나는 어린 소년과 마음의 대화를 하는 날이 오기를 기다리는 수밖에 없었다.

언젠가는 어린 소년은 일종의 사색을 하는 것임을 알게 되리라는 생각이 들었다. 온종일 내 옆에 서 있던, 하얀 눈사람은 몸을 비틀거리면서 겨우 졸음을 쫓고 있었다.

솔가지로 만든 손이 시린 듯 눈사람은 하얀 눈의 장갑을 끼고 있었다. 차가운 겨울 어둠이 짙게 내린 저녁의 시골 마을은, 인적이 끊어져 고요한 정적만이 감돌고 있었다.

아직 잔설이 바람결에 이리저리 휘날리는 밤, 소리 없이 내리는 하얀 눈을 좋아하는 어린 소년은 창문을 통해, 그 광경을 바라보고 있었다. 소년은 자신의 발자국이 하얀 눈에 감추어져 사라지기를 기다리고 있었다.

소년은 온기 가득한 숨을 차가운 허공에 내놓은
체, 열린 창문을 통해 주변의 어둠과 하얀 눈사람
과 하나 되고 있었다. 이윽고 온종일 내리던 하얀
눈은 뜨거운 소년의 숨 열기와 도끼눈 크게 뜨고
내려다보는 차가운 푸른 달빛에 밀려, 얼음장처럼
차가운 진한 어둠으로 지독히도 시린 고독을 남기
고 떠나가고 있었다.

　이미 대지에 내려앉은 하얀 눈은 소년과 빛을 잃
어 검은색으로 변장한 눈사람의 주위를 따스한 온
기로 감싸고 있었다. 이제 어린 소년은 열린 창문
을 닫고 이곳에 머물던 시선을 거두고 있었다.

　이윽고 소년이 머물고 있던 방은 이내 어둠과 하
나 되고 있었다. 칠흑처럼 어두운 밤하늘에 가끔,
별똥별이 쏜살같이 대지를 향해 내려가고 있었다.
이 밤 어느 곳에 살던 한 생명이 빛을 잃어가고
있을 것이라는 생각이 들었다.

소년의 노래

 어느덧 세월은 몇 년이 지나고 있었다. 이곳 바
닷가 시골 종택에 사는 어린 소년은 이제 어엿한
국민 학생이 되어있었다. 물론, 지금은 초등학교로
부르고 있지만, 그 시절에는 아직 일제의 잔재가
남아있어 국민 학생이라 부르던 시절이었다. 소년
은 종택에 입양되었지만 아주, 씩씩하고 총명한
소년으로 잘 자라주고 있었다.

나 역시 언제나처럼 어린 소년에 관심이 많은 관계로 어린 소년의 일거수일투족을 놓치지 않고 관찰하고 있었다. 어쩌면 이 집안 대대로 내려오면서, 이 집안의 식문화의 기본을 지키는 나의 책무 중에 하나라는 사명감도 있었다.

 어린 소년은 오리 정도의 거리에 있는 학교 가기 위해서나, 방과 후에 학교에서 집으로 오기 위해서는, 작은 개울 서너 곳을 건너야 했었다. 그러나 오늘날처럼 번듯한 다리가 없는 시절이었다. 그러기에 개울을 건너고자 하면, 어린 소년은 뜀박질하듯이 돌 징검다리를 건너었다. 징검다리는 개울을 가로질러 상당한 간격의 넓이로 놓여있었기 때문이었다.

 이는 어른들의 다리 길이와 발걸음에 맞추어 만들어 놓은 징검다리이었다. 그러기에 짧은 소년의 다리로 그 징검다리를 건너는 것은 다소 무리였다는 생각이 들었다. 더구나 이렇게 날씨가 좋은 날은 개울물이 깊지 않아서, 그래도 요령껏 잘 건너면 그 시절 사람들이 즐겨 신던, 질긴 검정 고무신에는 물이 들어오지는 않았다.

그러나 밤새 비바람 몰아진 날에는 개울물이 불어있어, 돌 징검다리는 몸통을 물속에다 감추면서, 모습을 보일 듯 말 듯이 숨바꼭질하고 있었다. 그래도 펄쩍 뛰어 건너기도 하였지만, 대부분 무릎까지 물속에 빠지는 경우가 많았다.

그래서 하는 수 없이 징검다리가 거의 개울물 속에 잠긴 날에는, 먼 길을 돌아 집으로 가야 했었다. 개울 속에 하나씩 박혀있는 돌들은 어쩌면, 어른들만의 세상에서 어린 소년들이 넘어가야 하는 장벽이라는 생각이 들었다.

그래서 어린 소년은 비가 이렇게 많이 오는 날은, 엄청나게 불어난 물속에 잠겨있는 징검다리를 건너고자 하기보다는, 다른 길을 선택하여 집으로 가곤 하였다. 그 길은 소위 신작로(新作路)라는 이름의 제법 평판하고 넓은 새로운 길이었다.

그렇다고 오늘날의 아스팔트로 포장된 길은 아니었다. 자갈을 깔아놓아 최소한의 웅덩이가 생기는 것을 방지하는 정도의 길이었다. 더구나 그 신작로는 곡선과 굴곡이 많은 도로이었다.

지금은 그런 도로는 직선화 작업을 통해 많이 없었다. 그러나 이곳 땅끝마을은 오늘날도 그런 곡선도로가 많이 남아있었다. 이곳 시골은 은근히 작은 언덕이 많아 도로의 오르내림이 심한 곳이었다. 과거 시절에는 차의 성능도 좋지 못했을 뿐 아니라, 우마차가 많이 다니던 시절이었기에, 그 시절의 도로에서는, 직선보다 곡선도로가 더 유용하였기 때문이었다.

 오랜 세월 마을과 마을을 이어지는 길이 있는데 굳이, 신작로라고 이름을 지은 길이 만들어지는 데는 그만한 사연이 있기 마련이었다. 우리가 알기로 신대륙이니 신촌이니 하는 지명을 붙이는 사람들은, 그곳에 터를 잡고 오랜 세월 살아온 토박이들이 아니었다.

 외부에서 들어오는 사람들은 여러 이유와 목적에서 이런 새 길을 만들었다. 물론, 가장 중요한 부분은 여러 물자의 수송에 이용하기 위함이었다. 결국, 도로란 수송을 원활하기 위함이었으니, 이곳의 사람들과 농수산물과 광물의 이동을 원활하게 하기 위함이었다.

또한, 원주민에 대한 자기들만의 잣대로 바라본, 우월적인 인식을 바탕으로 한 부분도 있었다. 물론, 그들은 그 우월적인 인식이란 의미가 이성을 바탕으로 한 기준이라기보다는, 물질과 그에 대한 지배 수단에 따른 많고 적음에 대한 상대적 기준이라는 생각이 들었다.

그리고 그러한 기준으로 그들은 자신들의 조직과 힘은, 인간의 인성을 대변하는 문화까지 우월하다는 착각 속에 다가오기에, 기존에 이곳에서 사는 이들과 많은 충돌과 그에 따른 부작용으로 한 세대 이상 서로가 고통을 갖게 된다는 점이었다.

아무튼 어린 소년에게는 집과 학교로 가는 길의 선택지가 하나 더, 늘었다는 점이 이점이라면 이점이었다. 그런 이유로 소년은 비와 물과 눈에 관심이 점차 많아지고 있었다. 그리고 하늘에서 내려오는 이러한 현상에 곰곰이 생각하는 버릇이 생긴 것 같았다.

시골 마을에는 작은 웅덩이가 많이 있었다. 물론, 이런 웅덩이는 여러모로 쓸모가 많은 곳이었다. 가뭄과 화재를 대비하여 마을 가까운 곳에 많이 만들어 놓았었다. 평상시에는 작은 물고기들을 잡아 양어장으로 활용을 하고 있었다.

 어린 소년 또한, 이러한 웅덩이를 나름 잘 활용하고 있었다. 어린 소년에게는 평소에 거울을 볼 장소와 시간도 없었기에, 이런 웅덩이를 보면 자연스럽게 물속을 바라보곤 하였다. 그리고 물속에 비추어진 자기의 얼굴을 바라보면서, 어른이 되는 날을 기대하고 있었다.

 혹자는 이런 소년의 모습을 보고, 자기애에 빠져 있는 모습이라고 말하는 이도 있었다. 그러나 내가 보기에는 소년에게 자기애에 빠질 만큼, 세상을 자기와 타인으로 구분하는 시기가 아니라는 점을 알 수가 있었다.

 어린 소년 역시, 얼굴을 보려고 하다 발이 미끄러져 물에 빠지곤 하였다. 이처럼 소년의 그런 행동은 자기의 모습을 확인하고자 하는 정도이었다.

또한, 어린 시절에는 온몸의 세포가 성장하는 긍정적인 힘이 모이는 때이기에, 부정적인 극단적 선택은 있을 수 없다는 생각이 들었다.

결과적으로 어린 소년은 자기 이외의 마주치는, 모든 사람과 사물은 직접 볼 수가 있었지만, 정작 자기의 모습은 직접 볼 수가 없었다. 그러기에 손쉽게 자기를 볼 수 있는 곳인, 잔잔한 웅덩이나 개울물이 고여있는 곳에 관심이 많았다. 그리고 그러한 행동을 통해, 자기의 모습을 볼 수가 있기에 하는 행동이라고 나는 생각이 들었다.

소년과 사색 마음

 어느 날 갑자기 내가 있는 이곳 장독대가 소란스러운 소리와 함께 무척이나 분주하였다. 더구나 많은 마을 아낙네들이 장독대를 오고 가고 하였다. 평소에는 이곳은 종가댁 종부 이외는 출입이 엄격하게 제한된 곳인데, 이처럼 낯선 사람들이 분주하게 오고 가는 날에는 필시, 이 집안의 큰일이 일어난 것이라는 것을 나는 직감할 수가 있었다.

이런 혼란상을 한두 번 겪어본 내가 아니기에, 다른 항아리 속의 불안해하는 여러 씨간장과 씨된장들을 안정시키면서, 사람들의 얼굴과 옷차림을 살펴보았다. 얼굴은 슬픔을 억누르고 있어서인지 모두가 굳은 모습이었다.

　옷차림은 삼베 상복을 입고 있었다. 이 집안의 초상이 난 것이었다. 이 집안의 대주가 간밤에 돌아가신 모습이었다. 대주는 이 집안을 일으켜 세운 사람으로, 가족과 마을 사람으로부터 존경을 받는 사람이었다.

　이 집 대주는 특히, 작은 집에서 입양한 소년을 무척이나 귀하게 여기면서, 어린 소년을 구김이 없이 자라도록 잘 보살피고 있었다. 당연히 잠자리와 일상의 생활도 사랑채에서 소년은 큰 조부와 함께 한방에서 기거하면서 지내고 있었다.

　나는 이 집 대주가 어떻게 세상을 하직하였는지 무척, 궁금하여 귀를 쫑긋하면서 사람들의 속삭임을 듣고 있었다. 그 내용은 다음과 같았다.

큰 조부가 돌아가시는 날 소년은 꿈속에서 큰 조부님이 한복에 두루마기를 차려입고 지팡이를 들고 소년에게 "집 잘 돌보라!" 하시면서, "난 먼 길 간다."라고 말씀하시기에, 소년은 벌떡 자리에서 미닫이문으로 나누어진 윗방을 향해, 잠자는 큰집의 손자에게 "큰 조부님이 지금 떠나신다고 합니다."라고 외쳤는데, 정작 큰 집의 손자는 한밤중에, 조부가 자기를 부르듯이 동생이 실제 자기의 이름을 크게 부르더랍니다.

이에 놀라 문을 열고 동생에게 왜 내 이름을 부르듯이 부르냐고, 동생에게 혼내듯이 물었는데, 어린 소년은 눈빛이 흔들이고 분명 말은 하고 있었는데, 전혀 움직이지도 못한 체, 허공만 바라보고 자기의 이름만 외치고 있었다고 하였다.

그리고 그 순간 조부의 얼굴을 보니, 방금 돌아가신 모습이었다는 것을 알았다는 이야기가 사방에서 들려오고 있었다. 결과적으로 대주의 마지막 가는 길인 임종을 어린 소년이 보았다는 점이었다.

큰 조부는 소년을 두 팔로 감싸 앉으면서 주무시
다, 조용히 그리고 편안하게 영면하였다는 이야기
를 사람들을 통해 들을 수 있었다. 가뜩이나 영민
하고 총명한 소년이라는 것이 소문이 난 마당에,
대주의 임종까지 본 소년은 어린 나이임에도 불구
하고, 모두는 범상치 않은 인물로 소년을 대하는
눈빛이 영역하였다.

이 마을은 진도(珍島)와도 지리적으로 가까운 곳
이라 그런지, 전통적으로 천수를 누리는 것과 무
관하게 누군가가 운명하는 이가 있다면, 굿거리
패를 초대하여 씻김굿의 일종인 "다시래기 굿"을
하면서 망자와 산자를 위로하는 굿을 하였다.

이 굿의 특징과 의미는 사람이 이생을 떠남은 마
냥, 그렇게 슬프지만 않다는 의미가 있었다. 그러
기에 힘들고 질곡 가득한 이생의 현장을 떠남은
터, 나은 내세가 기다리고 있는 세상으로 가는 것
이니, 마냥 슬픔 속에 있을 이유가 없다는 의미로,
모두는 축제의 장 인양 함께, 한바탕 굿판 속에서
떠들썩하게 굿을 하곤 하였다.

물론, 이생을 떠나는 임을 보내는 일은 무척 슬
픈 일이 아닐 수 없었다. 다만, 상주의 그 슬픈 마
음을 위로하고, 더는 깊게 슬픔에 빠지지 않도록,
모두가 한바탕 함께 슬픔을 적극적으로 나누는 행
위라 볼 수 있었다.

 또한, 씻김이란 의미는 이생을 떠나는 이에게 간
곡한 부탁을 하는 행위 예술이었다. 이생의 즐거
움과 그리고 한 맺힌 일과 그에 대한 원망까지도
다 잊어버리라는 의미가 있었다.

 안채 깊은 곳에 자리한 내가 있는 곳까지, 상주
들이 곡하는 소리가 계속해서 들리고 있었다. 장
독대에서 이러한 광경을 지켜보고 있는 나를 비롯
한 동료들도, 이제 한 세대의 시대가 저물어가는
모습을 침묵 속에서 지켜보고 있었다.

 나는 상주의 가족들이 곡하는 소리가, 유난히도
가슴을 후비는 것을 느끼고 있었다. 사실, 곡이란
일정한 음률을 갖춘 음악에, 사람의 음색이 가미
된 것으로 어쩌면 아주 슬퍼서 더욱, 무너지는 마
음을, 어느 정도 제어해주는 기제라는 생각이 들
었다.

상 치르고 난 후부터 소년은 무척 상심한 모습으로 지내는 것을 볼 수가 있었다. 그러나 안타까운 일이지만 이 또한, 어느 정도 세월이 흐르면 다시, 정상으로 돌아가는 것이라는 생각 속에 기다림이 필요하다는 생각이 들었다.

가장 가까운 혈연이면서 의지처인 한 사람의 죽음은 어린 소년에게 사실상, 큰 충격이 아닐 수 없을 것이라는 생각이 들었다. 더구나, 이생을 떠나는 이의 품속에서, 무의식 세계와 그 중공(中空)의 의미를 경험한 소년이었다.

그래서 나는 일상에서 현상으로 보이는 가시적이고, 형이하학적인 부분에만 머물지 않은, 마음의 이면의 확장성이 생기게 되는 부분을 어떻게 채워나갈지 과연, 소년은 어떻게 이를 잘 극복해 나갈지를 지켜보고자 하였다.

사색하는 소년

 남해를 바라보는 땅끝마을에서 두륜산 남쪽 끝자락의 투구봉은 노을의 명소이었다. 소년이 있는 마을에서 바라보면 이 봉오리는 태양이 넘어가는 서쪽에 있었다. 황홀한 노을은 서쪽 하늘과 대지와 산과 바다를 붉게 물들이고 있었다. 소년은 큰조부의 사망 이후, 그 황홀한 석양 노을을 매일 마을 앞 들판 한가운데 홀로 서서 바라보곤 하였다.

물론, 내가 지켜본 바로는 이곳의 어른들도 그런 노을을 감상하는 이는 드물었다. 그런데도 어린 소년이 그런 장면을 보기 위해, 석양 무렵에 마을 어귀 들판에 서 있는 행위는, 큰 조부 사망 전에도 가끔 있었기에, 이는 남다른 서정성을 지닌 소년이라는 생각이 들었다.

　더구나 그 시간이면 농부들은 일을 끝내고 귀가를 이미 한 시간이기에, 어린 소년의 주변에는 사람들이 아무도 없는 모습이었다. 어둠이 성큼성큼 소년에게 다가오는 느낌을, 소년은 온몸으로 느끼면서도, 조금도 두려움에 떠는 모습을 보이지 않았다.

　아마도 큰 조부의 임종을 온몸으로 감당하였던 소년은, 이제 그렇게 유약한 소년이 아니었다. 이렇게 넓은 간척지의 들판에서 그 대자연의 황홀한 광경을 홀로 만나면서 비록, 어린 소년의 가슴이지만 시린 감정이 복받쳐 올라왔다.

　나 역시 이를 지켜보면서 마음속으로 어린 소년을 깊이 위로하고 싶었다.

마침, 태양은 그런 어린 소년을 안쓰럽게 생각했는지, 자신의 석양 노을빛 찬란하고 화려한 옷을 소년에게 입혀주고 있었다.

　그래도 왠지 모를 서러움 속에, 어린 소년은 해가 완전히 넘어가는 모습을 한참 동안 바라보고 있었다. 이름 모를 풀들도 그런 소년의 마음을 아는지, 소년의 여린 발목을 감싸고 있었다.

　이처럼 어린 소년은 언제나처럼 하루도 빠짐없이 저녁 무렵이 되면, 서쪽으로 해가 지는 모습을 바라보면서, 천천히 편안하게 산책하고 있었다. 이런 습관은 나중에 어른이 되어서까지 계속 이어지고 있었다.

　서쪽 하늘에서는 웅장하고 장엄한 무대가 펼쳐지고, 붉은 노을은 소년의 가슴에 황홀하다 못해, 시린 선물을 가득 담아주고 있었다. 소년은 가슴에 차오르는 시린 감정은 격한 마음 작용이라는 것을 이제, 자연스럽게 느끼고 있었다. 그런 느낌을 통해 가슴 속에는 마음이 존재함을 실질적으로 느끼는 순간이기도 하였다.

이에, 나는 그런 소년을 바라보면서 소년이기에, 시린 감정에서 멈추었을 것이라는 생각이 들었다. 만약, 어른이었다면 그 시린 감정을 분석하면서, 이를 해소하고자 하였을 것이라는 생각이 들었다.

　이제 서쪽 하늘을 붉게 물들이던 해는 이내, 서산 너머로 자취를 감추곤 하였다. 소년의 작은 걸음으로는 도저히 해를 따라갈 수는 없었다. 그러나 소년의 마음은 지는 해와 함께하고 있었다.

소년과 사색 대화

　육십년대 초 이곳 땅끝마을은 아직은 마을에 전기가 들어오지 않는 시절이었기에, 집에서 흘러나오는 불빛이라고는 호롱불이나, 촉수 낮은 남포등 불빛만이 간간이 흘러나오고 있었다. 그래서 내가 있는 이곳 장독대에서 일을 보는 시간은 해가 넘어가는 저녁 이후로는 이곳에서 사람들은 일을 보지 않았다.

이 집 안주인은 항상 새벽녘에 나에게 맑은 물한 그릇을 주면서, 잠시 속으로 대화를 시도하다가, 이내 마치면서 아침을 준비하기 위해, 내가 내어준 얼마간의 간장을 가지고 갔었다. 이처럼 시골에서의 일상은 해가 뜨고 짐에 따라 모든 것이 시작하고 끝내는 생활이었다.

　그러기에 오직 희미한 달빛만을 의지한 체, 이런 어둠 가득한 시간의 시골에서 소년이 한밤중에 길을 나서는 행위는, 그냥 일상이라도 쉬운 행위는 아니었다.

　더구나 마을 입구의 소나무 군락지를 통과한 차가운 바람은, 구슬픈 피리 소리를 동반한 체, 길 위에다 눈보라를 일으키면서 소년의 발걸음을 휘감고 있었다. 이렇게 눈길 쌓인 밤길을 걷은 마음이라면, 그 한걸음의 의미는 더 무겁고 중함을 의미하였다. 근래에 들어 소년의 이런 행동은 일상이 되고 있었다.

　내가 볼 때 소년이 더욱이 이렇게 사색하면서, 하얀 눈을 바라보는 시선은 복합적이고 중의적이라는 생각이 들었다.

그런 소년의 발걸음은 공간과 시간이 결합한 온전히 사색하는 마음의 발걸음이라 할 수 있었다.

소년은 저녁이라는 시간을 통해, 밝은 대낮과 대비한 어둠이 다가오는 순간을, 극명하게 느낄 수 있는 것 같았다. 또한, 소년은 흰 눈 내리는 모습을 통해, 자연의 순환과 변화를 느끼고, 이를 사색의 기재로 삼고 있었다.

소년은 춥고 차가운 날씨임에도 불구하고, 하얀 눈을 어른 모습의 눈사람으로 만들어, 마음속 깊은 곳에 머무는 미래의 어른과 교감하고 있는 것 같았다. 그런 어린 소년을 사람들은 애 늙은이보다는, 높여 부르는 뜻으로 영감님이라고 부르곤 하였다.

오랜 세월 이 집안에서 씨간장으로, 이곳 선비들이 글 읽은 소리를 못이 귀에 박힐 정도로 들은 나였지만, 어둠이 짙게 내린 겨울 저녁 허공을 맴돌 듯이 내리는, 하얀 눈 조각을 가볍고 작은 여러 사색 날개로 변신시켜, 자신의 마음과 함께 작은 별들이 가득한 하늘을 향해, 힘껏 날려 보내는 어린 소년은 처음 보는 장면이었다.

어린 소년과 함께 춤추면서 어울리던 하얀 눈은 이내, 어린 소년의 마음속으로 파고들어 감을 알 수가 있었다. 그 하얀 눈은 이제 어린 소년의 마음속 깊이 사색 눈이 되어, 어린 소년과 하나 되고 있었다. 이제 어린 소년은 순수한 하얀 눈 소년이 되어 깊은 밤 어둠과 하나 되고 있었다.

 어린 소년은 혼자 있기를 좋아하는 소년이었다. 그리고 남다른 섬세한 감각과 느낌을 유지하는 소년은, 하늘에서 펼 펼 내리는 하얀 눈은 비와 같은 듯 다른 모습임을 알아차리곤 하였다.

 물론, 둘 다 하늘에서 내리는 물이라는 점이었다. 그리고 기온의 차이에 따라 모양만이 잠시 다를 뿐이었다. 그러나 그 미묘한 차이 속에 커다란 거리가 있음을, 어린 소년은 알아차리고 있었다.

 어느 적막한 겨울날, 어린 소년은 라디오를 켜고 채널을 돌리고 있었다. 그런데 어린 소년은 그 채널을 고정하지 않고, 이리저리 계속 돌리고 있었다.

어린 소년은 어른들이 좋아하는 유행가를 듣기
위해, 라디오의 주파수를 맞추고 있는 것이 아니
었다. 소년은 무언가를 찾는 듯이 라디오의 주파
수를 맞추는 다이얼을 계속 돌리고 있었다.
 그 채널과 채널 사이의 공간에는, 온갖 전파 소
리가 지직거리면서 나고 있었다. 라디오 전파 속
공간은 수많은 주파수가 교차하고 있었다. 이 소
리는 여름 장마철에 장대비가 억수로 내리는 소리
와 같음을 알 수 있었다.

 이처럼 그 넓은 라디오의 주파수 공간 속에서,
주파수가 부딪쳐 내는 소리가 나지 않는 곳은 생
각보다는 드물었다. 더구나 하늘과 대지 사이에
빈틈이 없이 내리는 장대비와 같은 라디오에서 내
는 빗소리는, 소년을 마음 밖 온갖 사물 속으로
마음이 빠지도록 하고 있었다.
 소년은 주파수 중에 가장 요란하게 내리는 장대
비 소리를 피해, 아무 소리도 나지 않는 곳에다,
다이얼을 고정하고 있었다. 라디오 속의 공간은
어느새 여름이 가고, 겨울이 다가온 모습이었다.

겨울에 나와 같은 동료인 하얀 눈이 하늘에서 내려오는 날은, 가장 가까운 곳에서 나는 소리도, 저 멀리서 움직임의 모양으로만 알 수 있는, 아주 고요한 마음의 상태를 유지하게 하는 날이었다.

 소년은 나를 만나는 날에는 자기 목소리를 내고자, 온 힘을 다하는 온갖 사물들의 소음도 들리지 않아 무척 좋아하고 있었다.

 더구나 밤이 되면 밝은 빛이 사라진 온 세상은, 모두 검은 사색의 바다의 이불을 덮고 꿈을 꾸는 듯한, 몽환적인 모습으로 변해 있는 모습을 너무나 좋아하고 있었다.

 그러는 의미에서 보면 과거 초가지붕의 시골집들은, 사색에 들기에는 최적화된 곳이라 말할 수 있었다. 아직 지붕이 개량하지 않는 초가지붕이었기에, 아무리 장대비가 내린다고 해도, 지붕에서는 아무런 소리가 나지 않았다.

 오히려, 침묵의 공간이 중첩되면서 소년은 마음껏 사색의 장을 열곤 하였다.

열심히 글을 읽고 사색을 하는 선비들은 많이 보아왔지만, 이렇게 사색하는 마음과 자연과 일체감 속에 하나가 되어가는 소년은, 누대에 걸쳐 이 집안을 지켜본 나로서는 정말 처음 보는 놀라운 일이었다.

이제는 소년과 이심전심의 마음으로 서로 대화하는 날이 곧, 다가올 것 같다는 생각이 들었다. 이곳은 현재는 온난화로 기온이 많이 높아졌지만, 과거 시절도 남도(南道)의 온도는 온화하고 따뜻한 날씨이었다.

그런 날씨의 특성상 이렇게 함박눈이 내리고 나면, 소년들이 힘들게 만들어 놓은 하얀 눈사람은 금방 녹아내리기 일쑤이었다.

그 시절에는 전기는 물론, 들어오지 않는 시절이었다. 당연히 냉장고를 비롯한 가전제품은 건전지를 넣어 소리가 나는 라디오나 손으로 발전해 돌리는 측음기가 전부이었다. 당연히 그 시절에는 음식들을 장기간 보관하기 위해서는, 이 집안의 대를 이어온 나와 같은 씨간장류의 간장과 소금에 절이거나, 바람에 말리는 방법밖에는 없었다.

나 역시 매년 겨울이 오면 혹시, 소년이 자기가 만든 눈사람을 이곳 장독대의 항아리에 보관할까 봐, 기대하면서 노심초사 지켜보고 있었다. 그러나 매번 번번이 그냥 겨울을 지내 보내곤 하였다. 그러나 이번 겨울을 큰일 겪은 소년이기에, 나는 내심 어린 소년이 나에게 다가오지 않을까 생각하고 있었다.

　역시, 내 예상이 맞고 있었다. 소년은 두리번거리면서 장독대로 다가오고 있었다. 그리고 소년은 자기가 만들어 놓은 눈사람이 녹을까 봐서, 이곳 장독대의 항아리에다 보관하고자 하는 것 같았다. 당연히 자기의 소중한 눈사람이기에, 제일 좋은 항아리를 찾고 있었다.

　또한, 소년은 항아리의 크기도 자기 자신의 키와 엇비슷한 작은 씨간장 담은 항아리를 찾고 있었다. 소년은 제일 좋은 아담한 항아리를 찾아 뚜껑을 열어보고 있었다. 그 항아리 속에는 까만 씨간장이 담겨있었고, 그 항아리 속 씨간장에는 솔가지와 숯덩이 그리고 붉은 고추가 담겨있는 것을 볼 수가 있었다.

이 모습에 어린 소년은 깜짝 놀라면서 그 항아리 안을 응시하고 있었다. 그 둥그런 항아리 안에는 검은 눈사람이 들어있었기 때문이었다. 나를 비롯한 항아리 속 검은 눈사람은 둥근 얼굴을 하고 있었다.

 그 둥근 항아리 속은 솔가지로 만든 양팔과 숯덩이로 만든 눈썹과 눈 그리고 마른 붉은 고추로 만든 입술이 둥둥 떠다니고 있는 모습이었기 때문이었다.

 그런 나의 모습을 보면서 어린 소년은 틀림없이, 이 항아리 속에 눈사람이 들어있을 직감하는 것 같았다. 소년은 자기 자신 말고도 다른 어른들도 이곳 항아리 속에다 몰래, 눈사람을 숨겨왔다고 생각하였다. 이를 발견한 어린 소년은 마음속으로 이런 비밀을 알아낸 자기 자신을 대견하다고 생각하였다.

 더구나 안주인인 큰 당숙모는 매일, 아침마다 이 항아리 뚜껑 위에 흰 사발에 맑은 물을 담아 올려놓고, 그 항아리와 중얼거리면서 대화를 주고받는 것을 어린 소년은 보아왔기 때문이었다.

당연히 어린 소년 역시, 내가 머무는 항아리 속에다, 정성 들여서 만든 하얀 눈사람을 보관하였다. 새로 들어온 하얀 눈사람은 이내 본래의 색과 모습은 사라지고, 나와 한 몸이 되어 검은 눈사람으로 변하였다.

　그날 이후 소년은 매일은 아니어도, 맑은 물을 그릇에 담아, 내 모자인 항아리 뚜껑 위에 올려놓으면서 그리고 한참을 항아리 속의 나를 포함한 후배인 검은 눈사람과 인사를 하곤 하였다.

우리들의 대화

이곳은 겨울이라도 날씨가 포근하여, 겨울 다운 추운 날씨를 만나지는 못하였지만, 그래도 제법 높은 산이 있는 이곳은, 겨울이면 온 산하를 충분히 덮어줄 정도의 하얀 눈이 내리곤 하였다. 아마도 무거운 물기를 품은 구름이 산을 넘지 못하고, 자기의 몸 일부분을 이곳에다 내려놓는 모습이었다. 그런 날은 이곳에 하얀 눈이 소복이 내리는 날이었다. 하얀 눈은 한동안 녹지 않고, 순백의 몸을 자랑하고 있었다.

하얀 눈은 바닷바람 타고 제법 높은 뒷산 꼭대기까지 올라가, 사방에 자기의 망토를 휘날리고 있었다. 그리고 들판의 아주 얇은 푸르름을 하얗게 덮고 있었다. 그런 모습은 겨울을 제법 길게 느껴지게 하고 있었다.

하얀 눈은 분명 하늘에서 내리기에, 매번 소년에게 귀한 손님이자 친구로 다가오고 있었다. 또한, 하얀 눈은 소년의 마음속에서 외치는 온갖 소리를 일순간에, 다 자신의 품으로 감싸 안으면서, 소년의 소리 없는 아우성을 위로해 주고 있었다.

이렇듯이 내 후배들인 하얀 눈은 소년의 마음과 하나가 되고 있었다. 이런 상황을 소년은 콧소리로 노래를 부르면서 즐거워하였다. 모처럼 하얀 눈이 소리 없는 속삭임으로 다가와, 답답한 소년의 마음을 위로해 주고 있었기 때문이었다.

소년의 주변의 사람들은 대부분 현실적인 단어로 구성된, 짧은 단어로 반복하면서 대화하고 있었다. 그리고 서로는 가까이 있으면서도, 멀리 있는 사람과 대화하듯이 큰 소리로 말하고 있었다.

이런 환경 속에서 하얀 눈이 솜사탕처럼 달콤하면서도, 속삭이듯 말하는 행위에, 소년은 모처럼 밝은 미소를 짓고 있었다. 생각이 많은 어린 소년에게는 이런 일상에서 쓰는 짧은 단어에 이질감과 공허감을 느끼고 있었다.

분명 사람들은 말을 하고는 있었다. 그러나 지금 그들이 서로가 말하는 온갖 이야기들은, 본래 자기의 속마음을 말한다기보다는, 자기 자신의 속내는 감추고, 그곳에 자리하지 않은 제삼자의 이야기를, 오래전부터 먹던 질긴 오징어를 씹듯이 말하곤 하였다.

이처럼 대화 당사자들은 제삼자를 두고 의기투합하는 모습이었다. 그런데 대부분 그들의 말은 자신들과는 무관한 타인에 대한 말을 하는 모습이었다. 왜, 맨날 남의 이야기를 하면서 즐거워하는지, 그것도 주로 단점을 무한 반복으로 말하곤 깔깔거리면서 웃곤 하였다.

소년은 그런 단조롭고 지루한 언어 사용법을 보면서 이해를 할 수가 없었다. 아마도 어른이 되면 이해를 할 수가 있을 것으로 생각하였다. 사람들은 끊임없이 타인의 단점을 비난하고 화를 내는 일이 일종의 사회생활이었다.

서로 끊임없이 편 가르면서 서로가 먹잇감이 되어가는, 약육강식의 성인 사회에서 충분히 일어날 수 있는 일이었다.

그러나 소년은 사실, 서로가 상대편 사람이 진짜 누구 편인지, 어떤 마음을 가지고 말하는지 도저히, 파악할 수 없었을 것이라는 생각이 들었다. 그러면서도 사람들은 만나는 사람들에게, 우리는 사회적 동물이며, 인간은 사회를 떠나서는 잘 살 수 없다고 말하곤 하였다.

그런 어른 들의 언어의 습관을 보면서 소년은 나중에 어른이 되면, 마음속의 원을 크게 그리면서, 모두 포용하는 어른이었으면 좋겠다는 생각을 마음속에 다짐하고 있었다.

이 마을은 아직 유교의 영향이 남아있어서, 남녀가 각자의 공간을 따로 가지면서, 서로 떨어져 생활하는 시대이었다. 특히, 이렇게 눈 오는 날은 모두가 일종의 휴일 같았다. 그래서 남자와 여자는 각기 따로 모여 서로가 쌓인 회포를 풀곤 하였다.

사랑방과 바깥채에는 나이와는 무관하게, 남정네들은 모두가 곰방대를 입에 물고 담소를 나누고 있었다. 마을의 제일 큰집의 안채에서는 여인네들이 촉수 낮은 등잔불에 의지하면서, 의류를 손질하거나 뜨개질하면서 서로가 흉중에 담아두었던 수다를 떨고 있었다.

여인네들의 이야기가 궁금했던 젊은 남정네들은 이를 엿듣고자, 낮은 담을 넘어, 창 문풍지를 거칠고 두툼한 손가락으로 구멍을 내어 슬그머니 방안을 살펴보다가, 인기척에 놀라 재빨리 사랑방으로 자취를 감추곤 하였다.

밖에는 눈이 소복이 내리고 있어, 발소리는 눈속에 쌓여 소리가 나지 않았다. 방문은 창호지를 발라 밖이 보이지 않았기에 가능한 일이었다.

그 당시 소년의 또래, 소녀들은 참으로 유용한 역할을 많이 하였다. 반면에 소년들은 여러 사고를 치지 않으면 다행이었기에, 사고 칠 확률이 높은 소년들은 어른들의 주 경계 대상이자 별로 환영을 받지 못하였다.

그러나 아직은 성별에 따른 남녀유별에 무관한 나이인, 이 집안의 양자인 어린 소년은 진한 담배 냄새나는 남정네 방과 분내 나는 여인네 방을 자유롭게 왕래를 할 수가 있었다.

그 이유는 어린 소년은 또래의 다른 소년에 비해 조숙한 편인데다, 조부에게서 한학을 일찍 공부한 탓에 행세는 어른과 엇비슷하였었다. 그리고 다양한 예능적 소질이 있었다.

그런 모습과 행동 탓에 어른과 소년들 사이, 중간자적인 위치에 있는 모습이었다. 그런 소년의 얼굴 속에 이른바, 어른의 얼굴도 만들어져 애늙은이의 모습이 보였다.

더구나 이목구비가 뚜렷한 미소년이었기에, 또래의 소년 소녀뿐만 아니라, 나이 든 이들에게도 호감을 얻고 있었다. 특히, 동네 누이에게 어린 소년은 간난 아기 때부터 귀여움을 독차지하였었다. 사실, 그 나이 또래의 소년들은 가장 무관심한 세대하고 말할 수 있었다.

반면, 어린 소년은 모두에게 환영받았었다. 그래도 어린 소년은 어른들의 생활 습관이 마음에 들지 않으면, 소년의 전매특허인 영감이 하는 말인 "허허 병이로다"라는 말 한마디 하면서, 어른들에게 웃음을 남긴 체 이내 방문을 열고 나오곤 하였다.

그런 어린 소년을 동네 누이들은 붙잡고 더 놀다 가라고 말하곤 하였다. 소년은 누이들이 구운 고구마에 빠져, 누이들과 한참을 이야기를 나누곤 하였다. 그러다 따뜻한 구들장의 온기에 취해 잠시 깜박, 그곳에서 잠이 들 때가 있었다. 이때를 놓치지 않는 누이들은 검은 숯을 이용하여, 소년의 얼굴에다 수염을 그려놓고 소년이 잠에서 깨어날 때까지 기다리고 있었다.

소년은 잠꼬대 속에서 아마도 검은 눈사람인 나를 만나서, 여러 이야기를 나누듯이, 잠자면서 허공에다 무언가를 손짓으로 그리곤 하였다. 나 역시, 사람들 틈에서 잠을 자는 소년과 여러 이야기를 나누었던 기억이 났었다.

나는 그 답답한 방안보다는 밖으로 나와 자연을 바라보면서, 자연 속에 할 걸음이라도 빨리 나와 마음속으로 대화를 할 수 있기를 바라면서 소년을 깨우곤 하였다.

얼마 후 잠에서 깨어난 소년에게 누이들은 거울을 보여주었다. 소년은 거울 속에 보이는 늙은 사람이 자기임을 알아차리고 언제나처럼 소년은 "허 허 병이로다! "를 외쳤다. 이를 본 누이들은 박장대소를 하면서 웃곤 하였다.

사실, 소년이 외치는 구절은 이곳, 남도 잡가인 홍타령의 한 구절이었다. 이곳의 유학자들은 한참 학문에 관한 토론을 한 후에, 남도의 예인들을 초대해 이렇게 여흥 시간을 마련하여 우리의 가락을 즐기고 있었다.

누이들의 방을 나온 소년은 눈이 내리는 마당을 바라보고 있었다. 이렇게 눈이 내리는 날에는 어김없이 소년의 마음은 설래임 속에 있었다. 하늘은 넓은 공간이었지만 하얀 눈은 촘촘히 내리고 있었다. 하얀 눈은 그 비좁은 공간을 서로가 용케 부딪치지 않고, 자유롭게 춤을 추듯이 지상으로 내려오고 있었다.

소년은 그런 하얀 눈의 처세를 통해, 일상에서 앞으로 살아가야 하는 어른 세상의 요령을 배우는 모습이었다. 본능이 촘촘하고 가득한 어른 세상에서, 솜사탕과 같은 모습 흐트러지지 않고, 하늘에서 대지까지 하얀 모습 유지하는 마음을 소년이 지니기를 기대해 보았다.

하얀 눈이 소복이 내리는 인적이 끊어진, 외진 시골에서 하얀 눈은 모두의 이불이 되어, 기왕의 여러 울퉁불퉁한 모습의 현상을 포근하게 덮어, 아주 고요하고 정적이 머무는 곳으로 만들고 있었다.

소년 역시, 그 광경 숨소리마저 멈추고 마음으로 지켜보고 있었다. 소년은 지금 눈 내리는 사색 정원에 머무는 것이라 말할 수 있었다. 이처럼 하얀 눈은 자연 속 불필요한 현상으로의 대상을, 마음 속 사색이 머무는 곳으로 정리 정돈하여, 이를 가꾸어 놓을 수 있는 사색 기제라 말할 수 있었다.

　그러기에 그 기제를 통해 짧은 순간이지만, 그 하얀 눈을 따라서 몸으로 느끼는 현상 속에서, 마음속에 자리한 사색의 공간으로 이동할 수 있었다.

　이제 하얀 눈 내리는 이곳은 지극한 고요함과 오랜 세월 묵힌 골동품 같은 퇴색한 시골 마을의 풍경에서 벗어나, 소년의 밝고 맑은 마음속 사색 정원으로 거듭나고 있었다.

　이를 바라보는 내 마음도 한결 가벼운 기분이 들었다. 해가 지면 집으로 돌아가는 농촌의 생활 특성상, 사람들이 그리 많이 거주하지 않는 시골 마을의 밤 풍경은, 인적이 끊어진 상태로 밤하늘 어두움 속 별들만이 졸음에 겨워하면서, 밤을 지새우는 적막한 강산이었다.

물론, 어른들의 발그림자는, 밤새 어둠과 함께 움직이고 있었다. 그러나 발소리도 감싸고 다니는 시골 사람들의 걸음걸이는, 어둠 속에 쌓인 보쌈 보자기이었기에 더욱, 눈 내리는 겨울밤에 사람들의 흔적은 골목 어디에서도 볼 수가 없었다.

 더욱이 유난히도 이곳 남도의 땅은, 겨울에도 푸른 보리의 싹이 자라는 온난한 곳이었기에, 어쩌다 그 땅을 뒤덮는 하얀 눈은 매우 낯선 풍경이었다. 그러기에 눈이 내리는 밤에는 아주 작은 소리에도 민감한, 마을 개들의 허공에다 대고 짖는 소리만 공허하게 들리고 있었다.

 그래도 나는 사색하는 소년이 이 집에 있기에, 그 마음 공유할 수 있다는 그것만으로도, 벅찬 감동 속에 긴 밤을 보낼 수 있었다. 하얀 눈은 하늘과 사람 그리고 대지를 일직선으로 하나 되게 하고 있었다. 그 속에 어린 소년은 가슴 깊이 사색에 젖고 있었다.

어린 소년은 지독한 어둠 속에서도 외로워하지 않고, 사색에 들곤 하였다. 이처럼 사색에 드는 것은 둘이 아니라 혼자일 때, 가능하다는 것을 안 소년은 혼자이기에, 외로워하던 과거의 소년이 더는 아니었다.

어떠한 경우라도 철학적 사색에 잠기는 것은, 복수의 사람들이 모여서 하는 것이 아니라는 점을 소년은 알았기 때문이었다. 사실, 사색하고자 하는 마음이 자리 잡은 과정은, 개인의 환경하고는 무관한 일이었다. 그러나 이는 사색에 일가견을 가진 전문적인 소양인에게 적용되는 말이기도 하였다.

그러기에 일반적인 관점에서 보면 환경과 전혀 무관하다고는 볼 수 없었다. 어떤 이는 자유롭고 편안한 환경이 되어야, 비로소 제대로 된 사색을 할 수 있다고 말하였다. 이 말은 맞는 말이긴 하지만, 그러나 이는 일종의 변명에 가까운 말이라 할 수 있었다.

사실, 좋은 환경에서만 사색이 된다면, 아마도 물질로 사색을 사는 경우라 할 수 있었다. 실제로 어린 소년의 가정환경은 온전하게 잘 가꾸어진 것은 아니었다. 먼 거리는 아니지만, 친가와 떨어진 상태에 양자로 큰댁에 입양 이후, 얼마간의 안정된 생활 속에 있었지만, 이 또한, 큰 조부의 사망으로 소년은 한동안 심적으로 고독감에 시달리고 있었기 때문이었다.

문제는 현실적인 문제인 환경을 극복하는 능력과 기회와 조건은 소년이기에 주어지지 않았었다. 오직, 소년이 할 수 있는 것은 학교 도서관이나 유학자 집안 어른들이 보던 서책을 틈나는 대로 읽어보는 일이었다.

실제로 어린 소년에게는 독학하는 환경이라고 말할 수 있었다. 어려운 한자는 옥편을 이용해서 한 자씩을 터득해가곤 하였다. 다만, 정신력이 남다른 소년에게는 그러한 적막하고 고독한 환경은, 어린 소년이 마음속으로 사색의 연속성에서 마음이 머물 수 있는 조건이 되었다.

즉, 이러한 열악한 환경은 어떤 면에서는 오히려 소년에게는 전화위복이 된 모습이었다. 어린 소년에게는 홀로 탁 트인 들판에서의 석양의 노을 풍경을 바라본다는 것은 최상의 사색 기제가 되기 때문이라는 생각이 들었다.

그러기에 소년은 오후 석양 노을을 볼 수 있는 시간을 오매불망 기다리는 모습이었다. 다만, 이곳 씨족의 기둥이었던 큰 조부의 죽음으로 이 큰댁의 가세는, 생각보다는 빠른 속도로 기울기 시작하였다. 그에 따라 소년의 처지도 불안정한 모습이 되어가고 있었다.

그러나 소년에게는 이렇게 정리되어가는 상태가 전화위복이 되는 모습이기도 하였다. 오히려 깔끔한 상태로 자연의 모습을 감상할 수가 있었다.

왜냐하면, 조부의 살아생전에는 많은 사람이 이 집안에 모여있었다. 이는 가진 것이 많은 종택의 특성상, 주변에 사람들의 욕심이라는 본능의 장막에 가로막혀, 그 장막을 걷어내고 자연을 직접 대하기가 어려운 모습이었기 때문이었다.

인의 장벽에 속에 사는 일상에서는 여러 사람을 바라보면서, 서로가 욕망과 욕구를 나누면서 살아가야 했기 때문이었다. 오죽하면 마음 수련하는 곳에서는 설령, 여럿이 모여있을 때이라도, 상대방에게 시선을 주지 않도록 코끝만을 바라보라 하였다.

그리고 자기의 시선을 자기의 몸을 벗어나지 않게 하고, 호흡의 들숨과 날숨을 관찰하게 하여, 자기의 눈을 포함한 몸을 붙잡아둔 다음, 침묵 속에서 마음으로 사색에 들게 하였다. 왜 자기 자신의 호흡에만 집중하라고 하였는지 이해가 되었다.

소년과 사색 항아리

또한, 겨울이 오고 하얀 눈이 내리는 날, 하늘과 소년과 대지가 일직선으로 하나가 되는 날, 소년은 작은 눈사람을 만들어 놓고 가슴 깊이 사색에 젖고 있었다. 오전에 내린 눈은 오후의 햇살에 녹아내리고 있었기에, 소년은 작은 눈사람을 내가 머무는 항아리 뚜껑을 열고, 이곳에다 눈사람을 보관하고자 나에게 양해를 얻고자 하였다.

내가 머무는 항아리 속은 어둠이 항시 머물고 있었지만, 그래도 항아리는 숨 쉬는 항아리이었기에, 나를 비롯한 눈사람들은 질식할 염려가 없었다.

다만, 뚜껑을 닫힌 항아리 속은 오직 색이란 어둠뿐이었기에, 새로 온 하얀 눈사람도 나처럼 검은 눈사람이 바로 되곤 하였다. 그리고 소년은 밤이 되기를 기다리고 있었다. 큰 조부와 함께 기거하던 방은 이제 소년 혼자만이 사용하는 방이 되어있었다.

　큰 조부가 기거했던 사랑방은 대대로 내려온 조상의 내음이 깊게 배어있었다. 그 특유의 냄새는 소년의 마음을 몽환적인 상태로 빠지게 하는 일종의 사색 기제의 하나이었다. 사랑방 사방의 벽에는 조상 대대로 내려오던 고서(古書)들이 빼곡하게 꽂혀 있었다.
　고서에서 나는 먹의 향기는 오랜 세월 쌓인 사람의 손때묻은 냄새를 잘 보듬고 있었다. 어둠이 사방에 내리는 깊은 밤, 소년은 홀로 선비 책상에 홀로 앉아서 고서를 읽기 시작하였다. 몸을 좌우로 흔들면서 리듬에 맞추어, 책을 읽는 모습은 영락없는 선비라 할 수 있었다.

소년은 어린 나이에도 불구하고 많은 책을 볼 기회가 많았다. 다만, 주로 책의 내용이 성인을 위한 내용들이었기에, 어린이로서는 소화되지 않는 이야기를 검은 눈사람에게 물어보고 싶어, 노심초사 눈 내리는 밤을 기다리고 있었다.

소년이 머무는 집은 함양 박씨 집성촌의 일종의 촌장댁과 같은 곳이었기에, 근동의 일가친척들은 꼭 들려 문안 인사 오는 곳이기도 하였다. 그 당시에는 유학자를 비롯하여 문예에 관심 있는 사람들이 많이 찾아오곤 하였다.

돌아가신 큰 조부님의 호가 야인(野人)이었으니 비록, 과거에 관직 생활을 하셨지만, 지금과 같은 자연인으로 살겠다는 뜻으로 호를 지으셨다고 볼 수 있었다.

또한, 조부의 호는 현포(玄圃)라 불렸다. 중국 고사에 나오는 무릉도원과 같은 곳을 의미한 곳으로 두륜산과 주작산 아래 강진만을 바라보는 곳의 마을에 사는, 두 형제는 호의 뜻과 같이 마음이 잘 맞아 위아래 집에 살고 있었다.

물론, 큰 조부가 돌아가신 이후에는 줄어들었지만, 과거 큰 조부 댁을 찾은 많은 이들은 전국 곳곳을 찾아가며, 나름의 도를 닦는 사람뿐만 아니라, 조용한 곳에서 시와 서를 즐겨하면서 생을 논하는 사색하는 이들의 왕래가 빈번하였었다.

그들이 제일 많이 회자하는 단어는 천지인(天地人)이 아닌가 싶다는 생각이었다. 그러나 소년에게는 자기가 아는 천지인과 어른 들이 아는 천지인과 괴리감이 크다는 생각이 들었다. 어른들은 나름의 해박한 지식으로 천지인에 대해 화려한 장식을 하고 있었기 때문이었다.

　소년은 천지인이라는 말의 의미를 어른들이 하는 말을 듣고 있을 때, 그들은 하나같이 하늘과 인간과 그리고 땅은 하나로 셋이 아니고 하나라고, 집약해서 표현하였다.

　그러나 이 세글자만 잡고 있으면, 천지인을 말하는 사람마다 자기가 우주를 다, 자기 손안에 잡고 있다는 듯 착각하게 하고 있다는 생각이 들었다.

내가 볼 때, 소년은 그런 어른들의 말의 의미를 정말로, 이해하지 못하는 듯함을 알 수가 있었다. 어른이라고는 하지만 소년보다 몸집이 그리 크지 않은 사람들이, 자기의 몸과 마음이 광활한 하늘과 땅과 같이 크고 넓은 듯한 주장을 하는 데는 정말로 이해할 수 없을 것 같다는 생각이 들었다.

　그래서 소년은 밤이 되기를 기다리다, 곧 잠이 들고, 이네 항아리 속과 밖이 모두 어둠으로 가득할 때, 내가 있는 곳의 항아리 뚜껑을 열었다. 그리고 나에게 대화를 청하고 있었다.

　그 항아리 안에 검은 모습으로 조용히 있던 나는 조용히 미소를 지으면서 어린 소년을 반갑게 맞이하곤 하였다. 그리고 나는 어린 소년이 궁금해하는 것이 무엇인지를 이미 파악했기에, 천지인에 대해 소년에게 설명하기 시작하였다.

"천지인(天地人)은 그 단어의 쓰임에 따라, 세 글자의 함의는 하늘 하나로 집약되기도 하고 또, 한편으로 인간 중심이 되기도 한다."

"다만, 유의할 점은 인간은 하늘과 하나 되면, 자기가 온 하늘이 되는 듯이 생각하고 말한다."

"그러나 이는 인간은 소우주의 개념일 뿐인데, 자기가 대우주가 된 것처럼 착각하는 모습이며, 이는 과대망상이라는 점이다."

"맞아요!" 어린 소년은 나의 말에 맞장구를 치면서 환호성을 질렀다. 소년은 답답한 마음에 내 설명을 듣고자 하였으나, 그동안 겨울 날씨임에도 눈이 내리지 않았기 때문에, 깊은 사색 속에 잠겨 있던 나를 깨울 수가 없었던 모양이었다.

소년보다는 생리적인 나이가 훨씬 많이 든 어른들이, 자기 자신들의 존재감을 드러내기 위한, 호연지기 이상의 과장된 의미로 자기의 의견을 개진하는 이야기이었지만, 주변의 사람들 또한, 이에 동조하고 받아들이는 듯한 모습이었다. 그런 상황이 소년은 몹시 답답한 느낌이었던 모양이었다.

아니 어쩌면 어른들은 잘 알고 있으면서도, 여러 사람 앞에서 일갈하는 가장 힘 있는 사람의 편을 들고 있는 모습이라 볼 수 있었다. 이에 어른들의 생각과 언어로써 반론할 수 없었던 소년이었기에, 답답함을 어찌할 수가 없었던 모양이었다.

나는 그런 소년의 모습을 바라보면서 대답해 주었다. "이는 천지인의 의미를 바르게 말하는 점이 아니라, 자기만의 의도된 목적의식이 있는 상태로 말하고 있음이다."라는 말에 어린 소년은 큰 청량감을 느끼고 있음을 알 수 있었다.

물론, 사람들이 천지인과 같은 이러한 문자나 단어를 만들어, 이를 조합할 때는 그 목적 의미가 있다는 점이었다. 각각의 자연물에 대해 이를 모아, 인간적인 지식의 단편으로 이를 조합하고 있다는 점이었다. 당연히 형이하학적인 관점보다는 형이상학적인 관점에다 비중을 높게 두고 있다는 점이었다. 이는 하늘과 인간과 땅의 개념을 현상으로 보이는 수직적인 의미보다는 수평적인 개념에 무게를 둔다는 점이었다.

그러기에 인간들의 다양한 해석이 나오게 되면서, 오히려 무한한 문자의 폭을 무한하게 넓히는 확정성이 생기게 된다는 점이었다. 이 말은 인간의 무한한 상상력이 더해지면서, 하늘은 인간 위의 또 다른 세상이며, 땅은 인간 세상이 아닌 지하의 개념으로 보고, 이를 인간과 같은 모습으로 형상화하기도 한다는 점이었다.

결과적으로 이를 해석하고 사용하는 방향성이 중요하다는 점이었다. 당연히 그 접근 방식은 예를 들면 인내천(人乃天)과 같은, 수평적 사고에 따른 형이상학적 의미로 다가가야 한다는 생각을 나는 소년에게 설명하였었다.

그리고 어떤 사상이라도 이를 행동에 옮기거나 실천하는 과정 역시, 그 사상에 걸맞게 인간다움을 잊지 않고 인간다운 행위로 실행하여야 한다는 점을 잊지 않아야 한다고 말하였다.

왜냐하면 어떠한 철학과 사상이라도, 그 근본은 이성을 바탕으로 한 사색의 산출이어야 하기 때문이었다. 당연히 그 표출방식의 하나로 비폭력적이며 평화적인 방식 이상은 없다는 생각이 들었다.

물론, 내가 볼 때는 철학적 의미로 본 천지인은, 단순한 세글자가 아니라 그 이상의 함의가 있었다. 당연히 천지인의 한가운데는 오늘 실존하는 인간이 있고, 그 인간의 가운데는 인간의 본질과 존재의 균형점 중심에 있는 사색하는 소년이 있었다.

　그러기에 문자학적으로 고대의 한자를 잘 분석하여보면, 표의문자인 한자는, 그 시대 선인들의 합의에 결정으로, 상당한 철학적 함의가 들어있음을 알 수가 있었다. 물론, 어떠한 글자는 형상만을 모방하여 만든 것도 있었으나, 어떤 글자는 심오한 철학적 의미가 담긴 글자도 많다는 점이었다.

　그중에 앞서 언급한 한자 단어 중에서의 천지인을 살펴본다면, 하늘을 의미하는 천(天)은 인간이 가로선(線) 두 줄을 받들고 있는 모습으로 윗선과 아랫선은 하늘과 땅을 의미하고 있는 모습이었다. 이는 이미 천이라는 글자 속에는 하늘과 땅 인간 모두가 하나임을 나타내고 있었다.

그러기에 천(天)이라는 글자 형상은 우주 속의 지구와 그리고 그곳에 사는 인간을 형상화한 모습이라 할 수 있었다. 인간이 만들어낸 문자는 문화의 가장 기본과 기초에 해당하며, 이는 사회적 동물인 인간의 소통을 위한 정신적 산물이라 말할 수 있었다.

그러는 의미에서 천(天)이라는 글자의 의미를 잘 인식하고 파악하는 것이야말로, 철학적인 사색의 모색함의 시발점 중에 하나라 말할 수 있었다.

결과적으로 천(天)은 인간을 가운데 두고, 인간은 땅의 조화를 바탕으로 존재하는, 천지인은 하나라는 의미를 나타내고 있었다.

또한, 천과 버금가는 의미가 담긴 인(仁)이라는 한자를 보면, 인간은 변(邊)에 해당하는 기둥이 되고, 역시 위 가로선은 하늘을 나타내고, 아래 가로선은 땅을 의미하고 있었다.

결과적으로 어질 인(仁)은 하늘 천(天)과 다름이 없었다. 다만, 하늘과 인간과 땅을 현상으로만 보는 한계를 넘어, 형이상학적 관점에서 바라보면서 그 실천적 의미가 내재 된 함축된 단어이었다.

즉, 천(天)의 의미가 만물의 현상과 모습을 형상으로 표현하고 있다면, 인(仁)은 그 자연과 인간의 의미가 형이상학으로 함축된 모습의 글자라는 생각이 들었다.

이러한 모습에서 두 단어는 공통적인 의미가 있었다. 두 단어 속 인간은 어쩌면 가장 주체적이면서도, 겸손한 의미가 함의 되는 모습이기도 하였다. 그래서 우리가 알고 있는 어질 인(仁)이란, 그 어질 인의 의미와 함께 그 글자의 속내는 천지인을 나타내고 있다는 점이었다.

나를 통해 이러한 깊은 뜻을 설명받는, 소년은 이제야 밝은 미소를 지으면서, 깊은 잠에 빠져들고 있었다. 나 역시, 곤히 잠든 소년의 곁을 떠나 언제나처럼 장독대의 그 자리로 돌아왔다.

*이제 깊고 어두운 밤은 소년에게는 사색의 바다를 의미하였다. 그리고 그 밤하늘 안에서 사색의 기제인 하얀 눈이 내려와, 나와 함께 소년의 마음을 적시고, 땅으로 스미는 모습에서, 소년과 나는 천지인과 하나가 됨을 느낄 수가 있었다. *

격동기와 소년

 사실, 어린 소년이 큰집으로 양자 가기 전 친가
는, 소년을 큰 집으로 양자로 보낸 얼마 후에 이
곳을 떠나 광주로 이사 갔었다. 그리고 얼마 안
있다가 친조부는 병고에 시달리다 세상을 떠나게
되고, 소년의 가족은 서울로 상경하였다. 소년의
친가뿐만 아니라, 다른 박씨 일가 친척들도, 큰 조
부 댁만 남기고 서서히 이 마을을 빠져나가기 시
작하였다.

이 지역 근동에서 수재이었던 소년의 부친은 어린 시절 조부를 따라 서울로 간 유학파이었다. 그러다 동족상잔(同族相殘)의 그늘 속에 소년의 아버지는 고향으로 낙향을 하게 되었다.

 그러나 내가 있는 이곳 마을은 이미 동란(動亂) 전부터, 패망한 일제로부터 생긴 힘의 공백을 지우고자, 사람들은 지극히 본능이 작동하는 혼돈의 현상 속에 모두가 빠져들고 있었다.

 이곳 역시, 그 혼란상을 비켜 가지 못하였었다. 광풍이 불면 온갖 것은 제자리에 있지 못하고, 굴러다니듯이 사람들 또한, 좌충우돌(左衝右突)하고 있었다. 그리고 끝 모를 혼란은 계속될 듯하여도, 광풍은 빠르게 덧없이 지나가고 있었다.

 그리고 몇 년이라는 세월은 흘러 소년이 태어났었다. 그리고 언제 그런 혼란이 있었는지 모르게, 이곳 땅끝마을은 빠르게 진정되고 있었다. 결국, 이는 객체로서의 인간이란 생명의 유한성의 한계라 말할 수 있었다.

이제 그 시절 사람들은 각자 분노의 씨앗만을 작은 유전적인 티끌로만 남긴 체, 뒷산에서 봉긋한 모양을 한 체, 아니면 밭의 한 모퉁이에 아니면, 야산의 어느 한 자락에 묻혔다. 그리고 모두는 이름 모를 풀 옷만을 무덤의 옷으로 걸치면서, 자신들의 흔적은 사라지고 없었다.

내가 볼 때는 이처럼 이런 일이 벌어진 이유는 여러 이유가 있겠지만, 사람들은 오랫동안 본능에 따른 욕구불만을 제대로 순화하지 못하고, 세월의 흐름이 더해짐에 그 욕망과 욕구를 분출할 계기가 없기에, 참고 쌓여놓고만 있었다.

그러다 어느 혼돈의 시절이 오면, 그 시점에 맞추어, 머리 잘 굴리는 소수의 누군가가, 사람들의 화통에 불을 붙이는 순간, 모두는 각자의 다양한 불만을 드러내면서 이를 토하는 모습이었다.

내가 볼 때, 이런 행위를 온갖 미사여구를 다하여 꾸미더라도 분명, 인간이란 육식동물의 본능이라 할 수 있었다.

누군가는 펜으로 사람들을 낙인찍어가고 또, 어떤 사람은 이에 낫과 망치로 대항하고, 어떤 이는 공권력의 재판관처럼 주관적인 총과 칼을 들면서, 서로 극명하게 대립하는 시기이었다.

어떤 이는 이빨 대신 그와 비슷한 철기 도구가, 자신의 상징인 양 자랑스럽게 드러내고 있었다. 나 역시, 내가 몸담는 항아리가 언제 깨어질지 모르기에, 노심초사로 나날을 보내고 있었다.

이런 난리 통엔 형상만 사람이었지만, 마음속 감정은 사람다운 감정이 작동하는 이는 지극히 드물었다. 이런 분위기는 동란이 끝나고도 한동안 계속되었다.

용케도 다시 자리를 잡은 사람들도 있었지만, 많은 사람이 다시 제자리로 가지 못하였다. 그 사람들 속에는 소년의 부친도 포함되었다.

동란 전후에, 민족주의자이자 독립유공자이면서 유학자인 소년의 조부는 동란으로 인해, 목숨을 잃을뻔한 일을 당해서 거동이 불편했었다.

내가 보기에도 안쓰러운 일이 이 집안에 계속됨을 알 수가 있었다. 이에 소년의 부친은 깊은 상실감에, 이웃 강진의 시골 마을의 처녀와 결혼하고 소년을 비롯한 아이들을 낳고, 필부로 살기를 노력하였다.

그러나 소년의 아버지는 농사일은 전혀 적성에 맞지 않았기에, 병든 조부와 함께 이곳 시골의 집과 전답을 헐값으로 정리하고 아마도 이 마을에서 제일 먼저 떠나는 이주민이 되었다.

우선은 광주로 갔었다. 그러나 광주 역시 복잡한 상황이었다. 매일 여러 이유로 인한 메모는 계속 이어지고 있었다. 당연히 안정된 생활을 할 수가 없었다.

결국, 다시 서울로 가게 되었다. 그러나 그런 큰일을 겪은 후, 집안은 후유증이 남았고, 소년의 부친은 두고두고 일이 잘 풀리지 않았다. 그런 부친은 애석하게도 이름 없는 화가로 세상을 떠나고 말았다.

이런 일을 미리 예견이나 하듯이 동란의 화를 당해, 몸이 불편한 조부는 자기와 닮은 둘째 손자인 소년을 큰집에 양자로 보내면서 좀 더, 나은 교육의 기회를 얻게 하고자 노력하였다.

 또한, 조부는 친구인 당시 저명한 국문학자와 작가와 만남이 있을 때마다, 둘째 손자인 소년을 꼭 데리고 다니면서 인사를 시키곤 하였다. 이런 조부의 노력은 어린 소년에게 정신적으로 일찍, 선진 문물을 접할 절호의 기회가 되었었다.

 아마도 이런 만남의 인연은 어린 소년에게는 훗날, 커다란 정신적 배경으로 자리 잡게 되었을 것이라는 생각이 들었다.

상경(上京)

어느덧 세월이 흘러, 거주지를 옮기게 된 어린 소년은 서울살이가 시작되고 있었다. 그래도 아직은 초등학교 고학년으로 중학교의 입학을 앞두고 있었다. 그래도 어린 소년은 깊은 사색 속에서 시심을 노래하는 어른으로 한 걸음씩 성장하고 있었다.

나 역시 소년의 배려 덕분에 서울에 살게 되었다. 오랜 귀양 생활 끝에 서울에 다시 상경하니 감회가 남달랐다. 물론, 나는 소위 말하는 분인(分人)과 같은 모습이었다. 나의 몸 일부는 땅끝마을에 남겨놓고 온 모습이었기 때문이었다.

　그러나 분인이란 환경과 역할에 따라 다양하게 나타나는, 나의 모습의 다양성을 표현한 것에 불과하다는 생각이 들었다. 실제로 나를 조절하는 통일된 주체는 분명 하나이기 때문이었다.

　나는 공기 좋고 순박한 인심이 아직 남아있는 그리고 자연과 벗하기에 아주 적합한 땅끝을 떠나고 싶지는 않았다. 그러나 소년의 큰 조부의 사망을 기점으로 큰 집의 가족들 역시, 모두가 마음은 이미 이곳을 떠나고 있었다.

　큰 조부 댁의 안주인인 큰 당숙모 역시 일년내내 모시는 제사를 신념의 변화라는 이유를 들어, 더는 제사를 모시지 않았다. 당연히 집 안에 모시던 여러 조상의 위패는 어느 날 소각되고 말았다. 그리고 큰집과 선산과 전답은 이곳 마을 주민의 품으로 순차적으로 돌아가고 있었다.

이런 여러 행위는 역설적으로 소년의 집안의 오랜 귀양살이를 청산하는 계기가 되었었다. 오랜 세월 내려오는 나의 생활도 제사를 지내지 않는 관계로 위태로운 지경에 빠지게 되었었다.

그러나 어린 소년은 이러한 일들을 침통한 모습으로 바라볼 수밖에 없었다. 거주 이전의 자유와 사유재산의 처분권은 오로지, 성인인 어른들의 몫이었기 때문이라는 생각이 들었다.

큰집에 입양되었던 소년은 실제로 호적까지 등재된 것은 아니었기에, 자연스럽게 족보에만 그 흔적을 남긴 체, 본래의 친가로 복귀하였다. 나중에 안 사실이었지만, 큰 조부는 소년의 몫으로 선산 일부를 소년의 몫으로 상속하도록 유언을 남기셨었다. 그리고 세월이 흘러 그 산만이 이곳에서 살았던 집안의 흔적으로 남게 된다.

당연히 소년은 또다시 몸과 마음에 혼란과 변화가 다가왔었다. 큰 댁에서의 엄격한 유교적 교육과 그에 따른 염치와 예(禮)를 중시하던 생활과는 너무나 다른 생활을 다시 시작하여야 했기 때문이었다.

소년의 친가 역시, 피폐해진 상태로 서울로 상경
하였기에, 모든 것은 현실적인 생활에 초점이 맞
추어져 있었다.

이에 소년은 기존의 이상과 지금의 현실의 괴리
감의 커다란 간격으로 상당한 세월을 어려움 속에
보내고 있었다. 그런 소년을 바라보는 나 역시 참
담한 느낌이었다.

소년과 나는 여러 번의 심사숙고 끝에 작은 단지
에 몸을 의지한 체, 소년을 따라 서울로 함께 상
경하게 되었다. 소년이 현실적으로 할 수 있는 행
위의 최선이라고 나는 생각하였다.

서울살이는 그 당시 변두리인 마포에서 생활을
시작하게 되었다. 이곳 마포 강변에는 작은 어선
들이 고기잡이하는 곳이었다. 이곳은 또한, 복사골
이란 지명의 동네로 불렸다.

아마도, 봄이 되면 복사꽃이 활짝 피어나는 곳이
었기 때문이었다. 육십년대의 마포는 서울이면서
도 아직은 개발되지 않은 시골 풍경이 혼재하는
모습이었다.

마포는 한강을 통해 들어오는 온갖 젓갈들을 파는 가게가 즐비하였다. 특히, 새우젓은 유명하였다. 이곳의 젓갈을 양념으로 많은 서울시민은 김장김치를 담았다고 볼 수 있었다.

새우젓의 신세는 나와 유사한 듯하면서도 다른 요소가 많았다. 넓은 바다를 품은 새우들은 좁은 대지에서, 자신들의 마지막을 보내고 있었다. 그들의 답답한 심정을 위로해 주고 싶었다.

길이가 길고 넓은 한강이지만 이곳 사람들은 마포 강이라 부르는 곳이었다. 특히 수도 서울의 지나는 강이니, 마포 강이라고 부르는 이유도 전혀 뜻밖이라는 생각은 들지 않았다.

그런 마포 강은 이곳은 소년에게는 사색 놀이터와 같았다. 강변의 억센 풀들은 강 따라 들어 온, 서해의 강한 바람에 이리저리 움직이면서도 굳세게 자라고 있었다. 사람들은 한여름이면 창문 하나 제대로 없는, 합판으로 이어붙인 무허가 집들의 비좁음과 답답함에서 벗어나 모두가 강변으로 나와 더위를 식히곤 하였다.

우리뿐만 아니라 이곳에 모인 사람들 대부분은 저마다의 사연을 안고, 전국각지의 지방에서 몸만 올라온 사람들이었다. 정말 가진 것도 없었기에 잃어버릴 물건도 없었다. 그러기에 그들이 입은 옷은 속옷과 비슷한 상태이었지만, 강바람을 맞으면서도 편안하게 강둑에서 잠을 청할 수가 있었다.

 해풍까지 겹친 강변 둑의 바람은 아무리 무더운 여름날이라도, 새벽녘이 되면 기온을 서늘한 강변 날씨로 바뀌고 있었다. 그런 대지의 서늘한 기온에 습기를 머금은 대기는 이슬이 되어, 사람들의 얇은 옷 사이 피부로 파고들고 있었다.

 이윽고, 사람들은 강변을 떠나 하나씩 온갖 혼탁한 물건들이, 사방에 가득한 동네의 집으로 발걸음을 옮기고 있었다. 그래도 이곳은 아직은 거북이 등과 같은 모습을 한, 작은 집들 사이에 제법 숲이 존재하고 있었다. 제법 울창한 숲 사이로 맑은 샘물도 흐르고 있었다

이곳은 용산과 마포의 경계를 이루는 그 산 정상 부근까지, 작은 집들이 아파트 모양, 군집을 이루고 있었다. 어쩌면 마포에 현대식 대단위 아파트가 처음 도입된 이유인 듯하였다.

산 중턱에 사는 소년은 이제 청소년이 되어 가고 있었다. 물론, 실제로는 중고등학교 다니는 청소년이라 함이 맞았다. 다만, 어린 시절에도 애 늙은이 소리를 듣던 아이였는데, 청소년이 되었으니 어른이라 해도 손색이 없었다.

소년은 손으로 직접 쓴 글들을 모아 작은 책을 꾸미곤 하였다. 그 책의 내용은 열악한 환경에서도, 맑고 평안한 마음을 유지한다면, 그래도 세상은 살만한 곳이라고 말하고 있었다. 나 역시 그런 소년의 멋진 생각에 박수를 보내고 있었다.

소년은 이처럼 세월 따라 성장해가는 몸에 비해, 훨씬 성숙한 마음으로, 자연과 하나가 됨을 노래할 수가 있었다. 물론, 소년에게 어떠한 주의(主義)가 머릿속을 지배하고 있는 모습은 아니었다. 다만, 이상과 현실이 있다면 이상을 우선해야 한다는 생각을 유지하는 듯하였다.

물론, 사람이라면 도리를 다하는 예(禮)를 갖추는 것을 중요함을 알고 있었다. 다만, 소년은 나이가 들어도 사람의 도리와 처신을 잘하지 못하는, 이에게까지 예를 갖추지는 않았었다. 그 이유는 어른으로서의 실존적 존재 가치를 직시하지 못하는 사람이라고 생각하였기 때문이라는 생각이 들었다.

 소년의 그러한 행동과 태도는 어른들에게 건방진 모습으로도 비추어질 수는 있었지만, 말과 행동이 바른 소년의 모습에 더는 시비가 되지는 않았다.

 소년의 마음속에 이런 예를 중시하는 의식은 나중에 세월이 흘러, 어른이 된 중년을 훌쩍 뛰어넘는 초로의 노년까지 이어지고 있었다.

 이런 생각은 항시 작동하기에, 당연히 소년을 대하는 성인도, 소년의 논리정연한 말과 행동에 눈치 아닌, 눈치를 보면서 소년을 피하곤 하였다.

 다만, 이처럼 곧은 성정은 어른 소년이 되어서는, 융통성이 모습으로 비취어지면서, 물질 우선주의의 자본주의의 현실적인 사회생활에는 여러 제약 요인으로 작용하는 점이 있었다.

소년은 시골에서 눈이 내리는 모습을 바라보면서, 사색의 기제를 얻을 수 있었지만 이제, 거주지를 도시로 옮긴 후에는 인공미 넘치는 도시에서도 사색의 기제를 얻을 수 있도록 노력하고 있었다. 하얀 눈은 도시와 시골을 가리지 않고 내리기 때문이었다.

그리고 그 눈을 기다리는 사색하는 소년의 마음은 조금도 변함이 없었기에 가능한 일이었다. 다만, 도시에서 내리는 눈은 고층 빌딩을 겨우 피해, 어렵게 빌딩과 빌딩 사이로 내려와도, 땅으로 자연스럽게 돌아갈 수가 없었다. 이는 온통 아스팔트와 시멘트로 포장된 도로이기에, 대지로 스며들기에는 불편한 환경이었다.

이런 인위적인 도시의 환경은 사람 역시, 편안한 상태에서 하얀 눈을 바라보면서, 진한 사색에 빠져들게 하기 어렵다는 점이었다. 이처럼 도시라는 환경은 자연의 순환 법칙이 매끄럽게 진행되지 못하는 모습이라는 생각이 들었다. 그래서 사람들은 자연적인 것과 인위적인 것에 대한 구분이 시작되는 모습이었다.

그러기에 도시와 같은 인위적인 공간이 형성되어
있는 곳이라면, 사색에 들기 위해서는 좀 더, 미시
적인 관찰력과 실존적 의식의 집중화가 필요하였
다. 이 말은 사색하기 위해서는 사람들의 이해관
계 안에서, 온통 인공미가 가득한 곳에 숨어있는
보물을 꼼꼼히 찾아야 한다는 이야기이었다.

 이는 하늘에서 내려오는 하얀 눈을 바로, 도시의
차가운 시멘트 바닥으로 내려가도록 바라보지 않
고, 내 마음속 자연스러운 공간으로 내리도록 해
야 한다는 뜻이었다.

 이 말은 결국, 우리의 마음속에 숨어있는, 자연의
공간을 찾아내면 가능하다는 뜻이었다. 그렇다면
그 숨어있는 마음속 자연의 공간이란, 무엇인가에
대한 정의가 필요하였다.

 그 공간은 우리의 순수한 마음이라 말할 수 있었
다. 그 마음은 다름 아닌 현상을 직시하고 바로,
이치로 접근해가는 소년의 마음이라 말할 수 있었
다.

또한, 그 순수한 마음이란 무의식 속에서 자연스럽게 계속, 호흡하는 마음이었다. 이는 본능을 바탕으로 한, 소유 욕망과 같은 의식된 마음에서 일어나, 실제로 행위를 실행하는 마음이 아니라, 욕망이 구체적으로 실체를 드러나지 않는, 마음 저변에 안개 상태로 존재하는 무의식적인 마음이라 말할 수 있었다.

그러나 현실적으로 도시의 생활에서는, 자기 자신 속에 깊이 내재한, 소년의 마음과 같은 순수한 마음을 찾기가 어렵다는 점이었다. 이는 모두가 무한 경쟁에의 늪에 빠져 힘들어하기 때문이었다.

이렇게 인간 사이에서 치열하게 경쟁하는 순간의 연속성이라면, 소년의 순수한 마음과 같은 자연스러운 무의식 마음의 공간은 보이지 않을 것이라는 생각이 들었다.

당연히 여기서 말하는 순수한 무의식적인 마음의 공간이란, 실체 현상으로 있는 형이하학적인 공간을 말하는 점 아니었다. 이 마음은 자기 자신도 모르게 호흡하고 온몸에 피를 보내는 박동을 실행하도록 하는 무의식의 마음을 말하였다.

그러나 사람들 모두가 의식적인 마음으로 자기 영역의 확보에 혈안이 되어, 서로 경쟁하면서 소유욕이 가득한 본능적인 마음의 공간만을 생각하기 쉬웠다. 그러나 이런 의식된 마음은 몸을 바탕으로 본능에 수단화된 마음일 뿐임을 알아야 한다는 생각이 들었다.

　다만, 그러한 사실을 설령 알았다 하더라도, 많은 사람은 자고 나면 다시 치열한 경쟁이 시작되는, 그러한 도시에서 살기에, 도저히 연속적으로 사색할 마음의 여유가 없는 모습이었다.

마포 강변

마포 강변에 나의 후배들인 하얀 눈 내리는 날이면, 소년은 눈과 바람 그리고 그들의 하모니인 눈보라를 하염없이 바라보곤 하였다. 마포에는 전자의 종착지인 종점이 있었다. 종점이란 더는 갈 수가 없는 막다른 골목길과 같은 출구가 막혀 서글픈 마음이 들게 하는 곳이었다.

그리고 지금은 대교가 놓여있었지만, 그 당시에는 아직 다리가 없는 강 건너 영등포의 모습이 아련하게 느껴지곤 하였다. 이는 소년이 살던 땅끝 마을의 풍경과 흡사한 모습이기도 하였다.

후배들을 만나는 기쁨도 잠시, 도시에 내리는 하얀 눈은 대지에 이르면서, 나에게 작별 인사도 없이 눈물만 남기고, 빠르게 흔적 없이 사라지곤 하였다. 순식간에 사라지는 하얀 눈의 유한성의 모습을 보면서 소년 역시, 나이와 걸맞지 않게 생의 유한성과 한계성을 그리곤 하는 것 같았다.

사실, 내가 볼 때는 애 늙은이라는 별명을 얻는 소년의 마음은 하얀 눈과 같았다. 소년은 사색하는 마음의 과정을 중요시하기에, 소년에게 생은 결과보다 과정이 중요함을 느끼고 있는 것 같았다.

물론, 사색하는 마음은 시작과 과정은 있어도 결말과 완성은 없기 때문이기도 하였다. 소년은 점차 성장하면서도 생명의 본질에 대한 신념의 확장 부분보다는, 살아가는 과정으로서의 존재 부분인 철학적 사색 부분에, 더 매진하는 모습을 보이곤 하였다.

도시를 선택하여 내려오는 나의 후배들은 일정한 모양은 아니지만, 나름의 공간적인 의미를 갖춘 하얀 눈들이었다. 그러나 애석하게도 대지로 향하는 유한한 시간성에 따라, 결과적으로 지상에 떨어지는 순간, 수많은 사람의 뜨거운 발걸음에 예열된 대지의 열정에, 그 존재는 나와 같이 이렇게 변형된 원형의 모습이라도 남기지 못하고 사라져 갔었다.

그러한 모습은 그 무엇도 소유할 수 없음의 보여주는, 자연의 순환 이치에 따른 결론이기도 하였다. 지상으로 내려온 하얀 눈은 차가운 물이 되어, 땅을 적시면서 그 속살로 파고들어 지상의 모든 사물과 하나가 되고 있었다.

소년은 이런 모습을 통해 어떠한 일을 하더라도, 물질을 모으고자 하는 것에 매몰되는 생은, 보람된 생이 아니라는 생각을 하는 것 같았다.

이처럼 나와 같은 하얀 눈은 자연의 순리에 따라, 하늘과 인간과 땅을 이어주고 있었다.

소년을 비롯한 인간들은 우리가 하늘에서 내리는
이런 현상을 보고, 천지인(天地人)이라 정리하면
서, 하늘 아래 인간이 있고, 인간 아래 땅이 있으
며, 인간과 땅은 하나이며, 하늘과 인간도 하나이
며, 모두는 하나라는 생각을 하는 것 같았다.

물론, 그 존재에 대한 크기는 비교 대상이 되지
않음을 인지하여, 과대망상(誇大妄想)에 빠지지
않아야 한다는 점을 말하고 싶었다.

이는 실존하는 존재에 대한 객관적인 인식 작용
이 없이, 자기 자신의 생각에 대한 부분이 지나치
게 과대망상적이고, 주관적으로 흐른다는 점을 경
책하지 못한다는 점이기 때문이었다.

여기서 말하는 천지인의 의미는 본질의 부분을
언급한 것이기 때문이었다. 이런 모습을 볼 때, 소
년은 과거 땅끝마을에 있을 때부터 나에게 자주
들었던 이야기이었기에 잘 이해하고 있었다.

이처럼 소년은 나의 존재를 통해 하얀 눈의 생성과 소멸의 과정을 바라보면서, 각기 존재하는 하늘과 인간과 땅의 공간들을 형이상학적인 존재적 의미로 모아, 이들을 하나로 하모니를 이루게 하도록 하는, 중의적 사색의 기제로 활용하고 있었다.

나 역시, 이렇게 하얀 눈이 내리는 날은 모성적 자연의 품속에서 비록, 잠시이기는 하지만, 한순간 자유롭게 허공을 비행하면서 춤추는 날이었다. 소년에게도 하얀 눈은 사색으로 가는 여정의 길잡이와 같았다.

아침부터 하염없이 내리는 하얀 눈은 암울한 현실과 사색의 길의 교차점이었다. 그 길 한복판에 서 있는 소년의 얼굴에 하얀 눈이 닿는 순간, 소년은 자신도 모르게 벅차오르는 가슴속 시린 마음과 하나가 되고 있었다.

나 역시 그런 소년의 마음을 잘 알기에, 얼어붙은 차가운 겨울날은 손 시리도록 차갑지만, 마포 강변에 내리는 나의 후배들인 하얀 눈이 녹아내리는 눈물을 내 마음속에다 감추었다.

　그리고 외부로 흐르는 감정의 눈물을 최소한 절제하면서, 소년에게 사색이 흐르는 마음의 강으로 만들어 주곤 하였다. 어느새 소년과 나는 두 손을 맞잡고, 도시에서의 새로운 생활을 잘 극복하고자 맹세를 하였다. 마포의 밤은 깊어가고 소년 또한, 깊은 잠에 빠져들고 있었다.

검은색 옷

　고향 마을을 떠나 서울이라는 대도시에서의 고단하고, 힘든 생활을 하는 사람들에게는, 어둠은 하나의 보호막이자 안식처와 같았다. 오랜 귀양 생활을 하는 곳이었지만, 그래도 깊은 정이 들었던 땅끝마을을 떠나, 나 역시, 서울살이는 작은 여행용 가방과 비슷한 작은 단지에 담겨 살아가야 하는 답답한 곳이었다.

도시에 어둠이 깊게 펼쳐지는 저녁이 되면, 사람들의 비좁은 집은 어둠 속에서 비로소 넓게 확장하고 있었다. 소년네 역시, 여러 식구가 함께 기거하는 방은 작고 비좁은 창문 하나 없는 방이었다.

이 집의 주인이나 세 들어 사는 사람들의 형편은 서로 비슷하게 닮아있었다. 조금 먼저 상경하여 무허가로 지은 집이었기에 그런 현상이 나타났었다.

그래도 이 동네에 사는 사람들은 비록 물질의 부족함으로 어려운 상태이었지만, 젊음이 있고, 미래에 대한 희망의 꿈을 가지고 살아가기에, 이곳은 모든 이들에게 해방구와 같은 곳이었다.

비록, 비좁고 작은 방이라도 어둠이 주는 확장성으로, 소년은 마음의 세계 속 고요한 바다로 항해할 수가 있었다. 또한, 어둠은 상대적으로 물질에 대한 현실적 부끄러움 속에서, 벌거숭이가 된 이곳 사람들에게 몸과 마음을 위로해 줌과 동시에, 넓고 따뜻한 보호막이 되었다.

진한 어두운 밤, 검은색의 옷을 입은 어린 소년
은 한결, 어두움의 따뜻함에 여유로운 마음을 찾
아가고 있었다. 나 역시, 그 어둠물질 가득한 밤
은, 나의 원형을 만나는 귀중한 시간이라 말할 수
있었다.

 소년의 마음을 아는 듯, 밤하늘에서 하얀 눈이
소리 없이 내리고 있었다. 소년은 그 하얀 눈을
반가움 속에 맞이하고 있었다. 소년은 도시의 미
로 같은 좁은 골목길과 창문 하나 없는 작은 방에
서도, 눈 내리는 세상 어디든 여행하는 사색 열차
를 타고 여행하곤 하였다.

 도시에서의 퇴근길은 언제나처럼 분주한 분위기
이었다. 사람들은 눈이 내리는 사이사이 불어오는
바람에, 온몸을 감싸면서 분주하게 발걸음을 옮기
고 있었다.

 그러나 막 떠나려는 소년의 사색 전차는 안중에
보이지 않는지, 사람들 모두는 그냥 스치어지나
가곤 하였다. 소년은 마음에 쌓여있던 일상의 고
단함을 잊어버린 체, 사색 전차에 몸과 마음을 싣
고 어둠 속으로 달리기 시작하였다.

사색 전차에 탑승한 소년의 심장이 뛰는 소리가 몸에 울러 펴져 나가자, 마음속에 있던 온갖 욕심들은 아우성을 지르면서, 열린 창문 넘어 멀리 달아나고 있었다. 이제 마지막 욕망의 전차가 마포 종점에 도착했을 땐, 덩그렇게 어린 소년의 사색하는 마음만 남아있었다.

많은 사람이 형상만의 모습으로 하얀 눈을 바라보면서, 시각으로만 각인되는 것을, 소년은 뛰어넘고 있었다. 이제 그 하얀 눈은 소년의 마음속에 하나씩 검은 눈과 검은 눈사람으로 자리하고 있었다.

나 역시, 도시에서의 소년의 사색 전차의 동행자가 되어, 소년이 마음껏 사색 여행을 갈 수 있도록, 나도 열심히 보조를 맞추고 있었다. 그런 나의 노력으로 소년의 마음은 따뜻함을 느끼고, 이렇게 소년으로 살아있다는 그것만으로도 행복함을 느낄 수 있는 것 같았다.

도시와 일상

라디오에서 듣고 싶은 음악의 주파수를 찾고자, 채널을 돌리다 보면, 주파수 간의 사이에서 나는 소음 소리가 엄청 요란하게 들리곤 하였다. 그 소리는 도시의 판자 지붕에서 들려온 장대비 내리는 것과 같이 익숙한 소리로 귓가에 들려오고 있었다. 그리고 어쩌다 그 억센 주파수 소리를 뚫고, 트로트 가수의 구성진 노래는 소년의 귓가에 흐르고 있었다.

중저음의 애절하고 호소력 넘치는 구성진 가수의
노랫가락과 가사에, 소년의 마음은 떠나온 고향
마을과 미래의 어른에 대한 환상을 심어주고 있었
다. 이런 소리를 들으면서 어린 소년은 잠시, 떠나
온 시골을 회상 속에 잠기고 있었다.

육십년대 서울은 비가 억수로 내리는 장마철에는
물난리가 나곤 하였다. 특히, 마포 강 주변은 대부
분 무허가 집들로 번번한 지붕이 없었다. 대신 값
싼 양철지붕을 사용하였기에, 장대비가 그 지붕을
두드리는 소리는 정말 요란하였다.
　장대비는 어느새 지붕의 작은 틈새를 찾아 집안
으로 스며들고 있었다. 더욱이 방과 붙어있는 부
엌의 연탄 아궁이는, 작은 샘물이 되어 물이 쏟아
지기 시작하였다.
　방에 딸린 작은 부엌은 온갖 부엌살림이 둥둥 떠
다니고 있었다. 내가 머무는 작은 단지도 물 위에
서 위태롭게 떠 있었다.

이를 본 소년은 물 위에 떠 있는 단지를, 두 손으로 잡아 얼른 방안에다 올려놓았었다. 소년과 나는 안도의 한숨을 내 쉬고 있었다.

이렇게 여름 장마철에 태풍이라도 오면, 한강 옆 동네는 제방이 제대로 완비가 되지 못해, 강물의 범람으로 온 동네가 침수되어 나룻배가 다니는 동네로 변하곤 하였다.

사실, 이렇게 큰 강 주변은 지대가 낮아 언제나 침수 위험이 있었다. 사람들은 강이 있어 수해를 입는다고 말하였다. 물론, 맞는 말이긴 하지만 이렇게 지대가 낮기에, 강이 생겨나는 태생적인 지형의 문제이기도 하였다.

문제는 서울로 이주해 오는 사람들은 꾸준히 늘고, 이에 따른 도시의 여러 여건은 이를 따라가지 못한 시절이기도 하였다. 당연히 매년 수해를 겪은 사람들은 결과적으로 이렇게 낮은 지대를 선호하지 않게 되었다. 점차 사람들은 아직 개발되지 않는 마포와 용산의 경계를 이루는 산 위로 주거지를 옮기기 시작하였다.

모두 국공유지에 무허가의 집들이 앞서 언급한 것처럼, 아파트 모양 계단식으로 산꼭대기까지 점령하는 모습이었다.

 그래도 수해 걱정은 안 하여도 되니, 한시름 놓았었다. 물론, 겨울철에 눈이 내려 길이 미끄러지는 것은 문제가 되지 못했다. 집집에는 연료로 쓰던 연탄의 재가 가득 있었기에, 이처럼 눈 오는 겨울날이 되면, 집마다 연탄재를 내어 미끄럼을 방지하곤 하였다.

 그런 이유로 하얀 눈들은 지상에 내려오면, 숨을 제대로 쉴 수 없을 정도로 연탄재에 온몸이 짓눌리곤 하였다.

도시 생활의 청산

어느덧 소년은 청소년기를 지나서 성인의 길을 가고 있었다. 그런 소년을 나는 편이 상, 어른 소년이라고 부르기로 하였다. 도시에서의 생활이란 매일 어제와 같은 오늘이기에, 아마도 내일은 어제와 오늘 같은 나날이 연속할 것이란 생각이 들었다.

모두가 굳이, 앞날을 예측하는 특별한 사람이 아니어도, 오늘의 생활을 통해 내일이 연상되는 지루한 생활의 연속이었다. 그런 부분들이 짧은 사색의 시간을 갖게 하는 것 같았다. 그래도 평균연령이 젊은이들이 다수이기에, 모두는 그 젊은 하나로 열심히 살아가는 모습이었다.

그런 노력으로 사람들은 살림살이는 물질적으로 조금씩 나아지고 있었다. 사람들은 대체로 낮에는 평범하게 열심히 일하다가, 해가 지는 저녁 무렵부터 온갖, 다른 생명체를 먹으면서 뻔한, 내일의 뻔한 일정을 조금이라도 다르게 변화를 꾀하고자 하고 있었다.

사실, 어떤 음식이라도 간을 하지 않는 음식은 없었다. 소금이나 간장을 집어넣어 간을 맞추어야, 제대로 된 음식이 완성되기 때문이었다. 나의 필요성이 켜져 간다는 생각에, 모처럼 나의 의사와는 다르게 마음이 들뜨곤 하였다.

소년도 이곳 낯선 도시에서 적응하고자 힘들었겠지만, 나 역시, 그동안 도시에서의 열악한 환경 속에서 겨우 목숨 부지를 하고 지냈다고 해도 과언이 아니었다.

지금 생각해보면 시골에서의 장독대는 나에게 있어서는 최상의 호텔급 주거지이었다. 그 이유로는 온갖 소음을 내는 사물이 가득한 곳이 아닌, 지극히 자연스러운 소리만이 가득한 곳이었다. 또한, 안 주인의 지극한 보살핌으로 언제나 깨끗한 나의 외모를 유지 할 수가 있었다.

그리고 짠 소금기에 갈증이 목까지 차오르는 것을 알고, 새벽 일찍 맑은 물을 융숭하게 대접을 받곤 하였기 때문이었다. 그리고 밤이 되면 맑고 순수한 소년과의 마음으로의 대화로, 나는 언제나 깔끔한 마음으로 하루를 마감할 수가 있었기 때문이었다.

그러나 도시에서의 생활은 그와 반대로 열악하기 짝이 없었다. 온갖 지역에서 올라온 사람들의 말투는 투박하고, 화통을 삶아 먹는 사람처럼, 소리를 질러대는 듯이 말하곤 하였다.

사실, 소리를 질러댄다는 의미는 분명 언어를 사용하는 것 같으나, 그 속의 의미는 중요하지 않았다. 자기의 기분을 소리의 강함으로만 표현하는 것이기에, 비명을 지르지는 않지만, 비명과 유사란 악을 쓴다고 말하는 것이 맞았다. 이는 남녀노소를 불문하고 다 같은 언어 습관이 된듯하였다.

아마도 창문 하나 제대로 없는 공간에, 혈기 왕성한 젊은이들이 가족을 구성한 체, 오직 숫자를 세는 산수만이 가장 필요한 과목인 것처럼, 모두는 매일 숫자만 세고 있는 모습이었다.

당연히 숫자만이 좁은 허공에서 서로 충돌하는 모습으로 한 공간에 있으니, 이는 당연한 귀결이라는 생각이 들었다.

그러기에 나는 소년과 약속하였다. 절대로 욕을 하지 않아야 한다는 점이었다. 힘들겠지만, 어느 한순간의 인간다운 감정을 잃지 않는 제어장치로, 욕을 하지 않도록 약속하였다.

또한, 장독대가 없어서, 내가 있어야 할 곳이 마땅치 않다는 점이었다. 최소한의 햇살과 바람을 �씰 곳이 없었다는 점이었다.

그렇다고 이곳에서 간장을 새롭게 담아, 나에게 수액을 보충해주는 것도 할 수 없는 형편이었다. 계절마다 다가오는 눈사람의 눈을 보충해주는 것도 아니기에, 나는 이제 바짝 마른 몸은 간장과 소금이 결합하여 수정 모양의 고석 소금의 모습을 유지한 체 겨우 숨을 쉬고 있었다.

이런 모습으로는 이곳 생활의 한계점에 도달할 것이라는 생각이 들었다.

다가올 미래에 땅끝마을로 귀양이 아닌 귀향을 나는 꿈꾸어 보고 있었다. 반복되는 일상은 어느덧 세월마저 반복적으로 데려가고 있었다.

어린 소년도 이제 성인이 된 어른 소년이 되었다. 그리고 어른 소년은 이상과 현실 속에서 이상은 어느 정도 다양한 공부를 통해, 자기의 마음의 목표에 가깝게 다가갔다고 생각하는지, 이제는 현실에 적극적 동참하려는 모습이었다.

그러나 내가 생각하기로는 이상은 일상의 마음에서, 이성을 동반한 사색을 통해, 어느 정도 목표의 지향점인 근원적인 마음에 도달하였다고 하더라도, 살아있는 동안은 하루도 빠짐없이 몸의 본능적 감정을 절제하고 조절하는, 고도의 마음 작용을 유지하는 것이야말로, 이상에 대한 실천적이고 실체적인 도달이라는 생각을 지울 수가 없었다.

그러기에 이상이란 형이상학을 단지 알았다 하더라도, 이를 행동이나 행위로 실천하지 않으면 남보다 지식으로서 좀 더, 많은 형이상학만을 습득함에 앞선다는 점일 뿐이었다.

결론적으로 이상과 현실은 선택사항이 아니라, 당연히 사람다운 이상을 마음에 품고, 현실을 잘 살아가는 것이어야 한다는 점을 잊지 않아야 한다는 생각이 들었다.

그러기에 누구나 이상을 잃어버리고 현실만을 위한, 생을 살아가는 사람은 없다는 생각이 들었다.

자본주의에서 물질을 많이 모아 사람답게 풍요롭게 살면서, 여유가 있다면 남에게 베푸는 자선도 하면서, 열심히 살고자 한다면 이 또한, 이상과 현실을 적절히 잘 적용하면서 살아가는 사람이라는 뜻이란 생각이 들었다.

다만, 어른 소년의 경우처럼 인문학에 대한 전문가적 소양을 지니고, 이를 더욱 연구 발전시켜 보다 나은 인류문화 유산을 창조하거나, 발전하고자 하는 뜻을 이상이라고 생각하면서, 이를 실천하는 과도기를 극복하기 위해, 현실적 접근 하는 행위가 현실이라고 생각한다면 좋았을 것 같다는 아쉬움이 남았다.

물론, 열악한 환경을 단시일에 극복해야 하는 조급함도 있었지만, 그 시절에는 모두가 아침 일찍부터 밤늦게까지 일을 하였던 시절이었기에, 어떤 사람이라도 예외가 없이 생의 현장 속에서, 땀을 흘려야 하는 시기이기도 하였다. 어른 소년 역시, 그렇게 급하게 몰리는 사회 현상에 매몰되는 모습이었다.

어른 소년은 조급한 마음속에 인문학적이고 문화적인 수준을 높이는 사명감이, 마음 가득한 부분을 이상이라고 생각하는 부분에서, 일상에서 직업과 연관하여 현실을 추구함으로, 이를 포기한다는 것으로 인식하는 것을 이상을 포기한다고 생각하였었다.

 이는 물질적인 일상의 일을 현실이라고 생각하는 것과 함께 이상과 현실을 대척점에 두고, 둘 중 하나를 선택하여야 한다는 인식의 오류로 인해, 어른 소년은 상당한 세월을 방황하는 모습으로 비취어지고 있었다.

 나 역시, 어른 소년의 모습을 보고 자나 깨나 걱정하고 있었지만, 나의 몸은 이미 열악한 도시의 환경 탓에, 작은 단지 안에서 박제가 된 모습으로 바짝 말라 있어, 어른 소년을 만나 그 어떠한 조언이나 이야기를 해줄 수가 없었다.

 어른 소년 역시, 현실에 대한 성공의 갈망으로 몹시, 물질에 대한 갈증을 느끼고 있었기에, 나름 이상을 포기하는 만큼, 나를 향한 관심도 급격하게 떨어진 모습이었다.

맨몸으로 서울에 와서 어떻게든 자리를 잡아야겠다는 모친의 원이기도 하였다. 만약, 자식의 도리를 다하고자 한다면, 어떻게든 돈을 벌어 집안에 도움이 되는 것이 최고의 선이 되는 듯하였다.

그러나 어른 소년의 그런 생각은 현실적으로 가장 어려운 목표가 아닐 수 없었다. 염치와 예를 중요시하는 관념적인 의식이 강한 어른 소년이었기 때문이었다.

더구나 전혀 산술적이지 못한 행동양식이 몸에 밴, 어른 소년에게 자본주의에 대한 적응도는, 다른 사람들에 비해 상대적으로 낮은 모습이었기 때문이었다.

당연히 나날이 물질적으로 발전해가는 도시에서의 생활은 마포 또한, 도심에 가까운 곳이 되자, 이곳의 원래 지주들은 돈방석에 앉게 되고, 그들은 빌딩을 짓기 시작하였다.

어른 소년을 비롯한 이주민들은 일부만 그곳에서 정착하여 뿌리를 내리고, 나머지 사람들은 계속 서울의 주변부로 밀려나기 시작하였다.

나 역시, 소년의 가족을 따라 횟수를 셀 수 없을
정도로, 이삿짐의 하나가 되어 옮겨 다니고 있었
다. 이사의 방향은 남으로 향하는 방향이었다. 이
렇게 이사를 하다 보면 언젠가는 땅끝마을에 갈
것 같은 예감이 들었다.

도시와 시골 사이

　온갖, 우여곡절 끝에 나의 주거 공간은 어른 소
년이 기거하는, 마당 한쪽에 놓여있는 작고 아담
한 항아리에 둥지를 틀 수 있었다. 이곳은 남한산
성의 한 자락인 경기도 광주 오포(五浦)라는 곳이
었다. 서쪽인 용인 지역에서 발원한 경안천이 동
쪽으로 흘려 이곳을 지나, 한강(漢江)으로 합수하
는 길목에 자리하고 있었다.

오포라는 의미에서 숫자 다섯인 오는 토를 의미하고, 포는 포구를 의미하니, 언뜻 생각하면 흙의 항구라는 의미로 그 뜻이 이해되지 않을 수 있었다. 토란 철학에서 고독과 예술과 신념이 가득한 곳을 의미하며, 이들의 들고 나감이 분주한 곳이라 할 수 있었다.

또한, 나무를 태워 숯으로 만들고 이를 배에 싣고, 경안천을 거쳐 팔당에서 한강을 만나 서울로 가는 기점에 해당하는 곳이었다. 우여곡절 끝에 이곳으로 어른 소년이 거처를 정해 살고 있는지 십여 년이 훌쩍 지나고 있었다.

어른 소년은 수도권이지만, 인구밀도도 낮고 아직은 청정 지역인, 이곳에서 전원생활을 하면서 여러 철학과 문학과 예술을 제자들에게 가르치고 있었다. 어른 소년은 이제, 어린 소년 시절의 맑고 총기가 있는 생활로 어느 정도 회귀함을 엿볼 수가 있었다.

이곳 역시, 저녁에 지는 노을 풍경은 어린 시절 소년이 바라보았던, 석양 노을과 견주어도 손색이 없을 정도로 황홀한 광경이었다. 나는 이런 노을을 바라보면서 이제 머지않아, 어른 소년도 나와 마음으로의 대화를 할 수 있는 단계로 곧 돌아올 것 같았다.

어린 소년 시절을 회상하던 어른 소년은 인간들은, 자연의 하나로 자연 속에 살면서도, 자연과 별개의 존재인 것처럼 인식하고 있음을 새삼 알게 되는 것 같았다.

그중에 최상의 가치 개념의 하나는 국가이었다. 인간은 진화를 거듭해오고 있었다. 그러나 최고의 선은 국가에다 맞추어있었다. 그렇게 인간은 인간만이 설정한 영역을 따로 가지면서, 인간만의 생명에 대한 인식을 자연과 별개의 존재로 인식하고 산다는 점이었다.

내가 볼 때도 분명 인간은 자연의 한 부분이었다. 절대로 자연을 떠나서 살 수 없는 존재임은 틀림이 없었다.

그래서 인간은 고등한 생명체이기에, 자연을 더욱 인식하고 그에 따라 살아가야, 자연의 현상으로든 이치로든 맞은 길이라는 점이었다.
그런데도 국가라는 테두리를 크게 설정해놓고, 인간만이 군집 생활을 하면서 일정한 영역을 서로 구분하면서, 그 안에서 모든 선 악의 구분과 그에 따른 평가를 하고 있었다.
 그리고 자기들 이외는 모두 살처분하는 대상이거나, 애완 동물화하여 존재하게 하는 영역을 만들어 놓고 있었다. 어쩌면, 자연보다 가장 실제로 구속력을 가지고 있는 영역은 인간이 만든 국가라 할 수 있었다.
 그러기에 유사 이래로 나름 뛰어난 수많은 인물이 생멸하면서도, 그 가치의 기준을 인간들의 구성체인 자기가 몸담은 국가의 수준과 이익을 높이는데, 그 일조를 하는 인물이 되고자 최선을 다한다는 점이었다. 그리고 수많은 이가 이 기준에 따라 순기능을 하고 있었다.

그러나 돌연변이 하나가 인간의 발전하고 진보하는 역사를 퇴행하는 일을 저지르면서도, 국가를 위해서라고 말하기에 문제가 되었다. 엄밀하게 말하면, 국가라는 개념은 항구적일지 모르지만, 그 국가라는 영역은 시대에 따라 지극히 가변적이라는 점이었다.

그런 이유로는 사람들 모두가 국가를 위해서라고 말하면서, 자기의 능력 최대치로 힘을 모아서, 틈나는 대로 영토 확장을 하고자 한다는 점이었다.

이런 어른들의 모습을 보고 자라는 어린 소년들은, 결과적으로 최고의 선을 국가에다 두고 자기의 소원이 무엇이냐고 물어보면, 대부분 국가를 위한 인물이 되고자 한다는 점이었다.

이처럼 당연히 어린 소년의 마음으로는 국가의 개념을 벗어나, 다른 가치 기준을 마음에 그려 넣을 수가 없다는 점이었다. 결국, 어른 소년이 되어도 어린 소년의 마음이 아직, 마음 한 부분을 깊게 각인된 모습으로 남아있었다.

어린 소년 시절의 꿈은 단순하고 뚜렷하기에, 이를 마음에 품고 실현하고자 하였다. 그러나 그 꿈들은 자기 자신은 물론, 타인에게도 순기능과 역기능을 동시에 하고 있었다. 어쩌면 지금까지 어린 소년의 집안이 겪어왔던 수많은 고초와 어려움도, 이 국가라는 개념에서 오는 수난사라 말할 수 있었음을 알 수가 있었다.

 반면, 내가 아는 소년은 생의 본질에 해당하는 혈연과 지연을 바탕으로 한 영역에 머물지 않고, 현재 실존적 존재로서의 가치를 추구하면서, 마음을 여백을 넓히고자 하였었다. 그리고 인간 세상뿐만 아니라, 자연에 대해서 과거와 현재와 미래를 충분히 이해하고, 계속 공부하고자 하였었다.

 그런데 지금 어른 소년이 되면서 땅끝 어린 소년의 꿈은 한동안 단절되었다. 다만, 이제 어린 소년 시절의 총명함으로 다시 회귀하고자 기지개를 피는 모습을 볼 수가 있었다.

물론, 그러기 위해서는 이 광활한 우주에서 오직 인간사에만 매달리는 마음의 시각을 좀 더 넓혀, 대자연을 바라볼 수 있어야 하며 또한, 모든 사물을 현상으로서만 시선을 두지 않고, 자연을 깊이 이해하면서 자연과 하나 되도록 끊임없이 노력하여야 한다는 점을 말하고 싶었다.

그런 후에 자연의 현상과 그 속에 보이지 않게 내재하는, 이치를 알아차려야 마음의 여백이 넓혀진다는 점이었다. 또한, 이는 단순히 마음의 공간이 넓혀짐을 말함만이 아니 이었다.

오직, 마음속에 인간으로 시작해서 인간으로 끝나는 막힌 공간에다 마음의 창을 열고, 자연과 숨통을 여는 것을 말함이었다. 물론, 마음을 넓히는 도구는 당연히 사색하는 마음이라는 점이었다.

지금도 어린 소년은 어른 소년의 몸, 어느 곳인가 보이지 않는 곳에 조용히 존재하고 있다가, 이렇게 눈이 내리는 날이 되면, 이를 사색의 기제로 삼아 어른 소년과 함께하고자 노력하고 있었다. 나는 어른 소년의 마음에, 어린 소년의 존재가 함께하고 있음을 알고 있었다.

단지, 그 어린 소년을 어른 소년이 잘 알아차리지 못할 뿐이라는 점이었다. 그러나 사색 그 자체인 어린 소년을 만나고 있는, 어른 소년의 얼굴은 엷은 미소가 가득한 모습이었다. 그 모습은 내가 어린 소년의 얼굴에서 익숙히 보아왔던 모습임을 직감할 수가 있었다.

귀향을 앞두고

추운 겨울날 어른 소년은 하얀 눈이 소복이 내린 마당을 바라보면서, 문득, 잊어버린 과거의 시절이 떠오르기 시작하였다. 내가 볼 때는 어른 소년이 이제 눈이 사색 기제로 마음에 다가오기 시작하는 것 같았다. 어른 소년은 잃어버렸던 어린 소년이 마음속에서 문득, 다가옴을 느끼고 있었다.

어른 소년은 어느 날 밤 진열장을 열고, 오래된 단지를 꺼내 뚜껑을 열고 속을 들여다보고 있었다. 나는 이미 물기가 전혀 없는 검은 그림자에 가까운 까만 고석 소금 모습으로만 남아있었다. 전등불에 나의 몸은 보석처럼 반짝거리고 있었다. 순간, 어른 소년은 한참을 오열하고 있었다.

나 역시 만감이 교차하였지만 그래도 기쁜 마음이었다. 어른 소년은 미안하다는 듯이 머리를 숙이면서 한참을 그대로 있었다. 나는 그런 어른 소년을 위로해 주고 있었다.

어느새 어른 소년의 눈가에는 눈물이 고여있음을 직감할 수 있었다. 나는 사실, 어른 소년이 잊어버린 어린 소년을 이제야, 다시 찾고자 하는 것을 이해할 수가 있었다.

수 대에 걸쳐서 이 집안의 씨간장으로 나의 역할을 유지하면서, 살아온 세월을 나의 생의 시간에 비하면, 어린 소년과 어른 소년의 성장하는 세월은 아주 짧은 세월이었기 때문이었다.

그러나 소년은 아주 작은 몸으로 태어나, 아직 몸이 어른으로 성장하지 않은 체, 작고 순수하고 여린 마음만이 작동하는 어린 소년이 전부였던 어린 시절이 있었다.

그러나 어느 날부터 왕성하게 자라나 어른이 되어가는 몸에, 마음은 함몰되어 실제 어른이 되고 나서는, 어른 시절은 마음속에서 사진으로만 인식될 뿐, 어린 소년의 시절은 아득히 먼 옛날처럼 느낀다는 점이었다.

일반적으로 부모에게는 자식을 키우면서, 어린 자식을 키우는 시간과 어른으로 성장하는 자식을 키우는 시간이 일관되게 느껴지지만, 자식에게는 실제로는 전혀 다른 어린아이와 지금 어른이 된 내가 있다는 점이었다.

또한, 어린 소년이 지극히 총명하기에, 어린 시절 많은 유학서를 비롯한 철학서의 내용을 암기하면서, 이를 사람들에게 내어놓고 또, 어른들에게 아주 품격있는 어른의 모습으로 느껴질 만큼 착각하게끔 행동하였던 시절이 있었다.

그러나 앞서 언급한 급격한 몸의 성장으로 인해, 그런 어린 마음은 몸에 함몰되어 버린다는 점이었다. 그렇다면, 어린 시절 그러한 철학서와 인문학의 공부는, 실제로 쓸모가 없는 것인가 하는 의문이 들 수 있었다.

다만, 어린 소년은 가정이란 보호막을 통해 일차적으로 몸과 마음이 성장하기 때문에, 어린 소년이 공부하는 여정이 끊어지지 않고, 연속성을 이어가면서 발전하려 한다면, 보살피는 가정의 의미가 중요하다는 점이었다.

이는 부모의 생의 방향성의 일관성과 자식의 공부 방향이 서로 동행할 때, 가장 이상적이라 말할 수 있었다. 상투적인 의견일 수도 있으나, 그래서 가문을 보고 가풍을 보는 것이며, 개천에서 용 나기 어렵다는 의미의 말이 나오는 점이라는 것을 말하고 싶었다.

결국, 이 집안의 가풍의 문제일 수도 있겠다는 생각이 들었다. 어린 소년인 경우, 큰 조부와 친조부의 타계로 인한, 어린 소년의 지지 기반은 이미 무너진 모습이었다.

이 집안은 영암으로 낙향한 양반가이었다. 그러나 두 번에 걸친 사화에 연루되어 또, 다시 이곳 땅끝마을로 귀양 와서, 이곳에서 정착한 집안이었다. 사실, 귀양이라는 의미는 글자 그대로 경치 좋은 곳에 휴양 온 것이 아니라, 전제적 왕권 시대에 모든 것을 박탈당하고, 정말 오지에 유폐되는 것이었다.

왕권도 혈연의 연결고리로부터 시작하기에, 한번 밉보인 왕에게 다시, 잘 보이기는 쉽지 않기 때문이었다. 당연히 복귀에 대해서는 그 세월을 기약할 수가 없었다.

이를 철학적인 관점에서 바라보면, 인간의 현재의 생이란 공간과 시간의 결합으로 현재를 살아가기에, 실존적으로 공간성과 시간성의 합으로 살아가는 생이었다.

이 경우는 객체로서의 공간에 대한 의미의 인격도야는 얼마든지 할 수 있지만, 이를 잘 활용하여 언제 사회에 나아가 이를 활용할지에 해당하는 시간성은 기약이 없기에 의미가 없다는 것이었다.

그러는 의미에서, 소년의 집안은 기약 없는 귀양 살이에서, 시간성은 큰 의미가 없었다는 점이었다. 그 결과 대우주인 천체와 인간의 관계에 대한 시간성을 다루는 부분의 철학서를 배제한 체, 주변의 도움으로 가져온 책들은 오로지, 마음 수양을 위한 부분인 공간성의 학문에 관한 책들이 주류를 차지하였다.

  당연히 시간성의 무의미성에 따른 공간성에 매진한 부분이 있었다는 점이었다. 한양 수도의 권력과는 너무나 먼 이곳의 남도로 귀양 온 선비들의 처지는 거의 비슷하였다.

  근방의 강진을 대표하는 큰 절의 이름도 무위사(無爲寺)라는 점도 무관하지 않았다. 특히, 큰 조부의 호가 야인(野人)이며, 조부의 호도 중국 고사에 나오는 무릉도원을 뜻하는 현포(玄圃)라는 점이 이를 뒷받침하고 있었다.

  소년의 가문이 애써 피한 시간성에 대한 학문은, 단순히 시간성만을 의미하지 않았다.

천체 우주와 자연 속에 자기의 존재 의미를 자각하고, 나 자신을 소우주로 여기면서 어떤 별이 되어, 어떻게 빛나는 것이 하나의 행성으로서의 존재 의미인지 고찰하는 학문이었다.

그리고 그 별은 언제쯤 빛을 발하는 궤도에 도달하는지를 천체와 인간을 대비 비교하여 예측하는 학문이었다.

그러나 애석하게도 이런 학문은, 소년의 가문에게 의미가 없었던 부분이었다. 이를 공부함은 외부의 눈에, 때를 기다리는 부분으로 비춰기도 하였기 때문이었다. 귀양 와서 일가를 이루는 부분만으로도, 큰 은전을 받는 것이라는 부분이 대를 이어 내려오고 있었다는 점이었다.

나는 그런 부분에서 지금의 어른 소년이 한동안 생의 좌표에 흔들리면서 고생하다가, 방금 내가 이야기한 그 부분의 학문을 어른 소년이 되면서 이를 보완하면서, 이제 더 완성도 높고 넓어진 어른 소년의 학문 세계를 보게 되었다는 점만으로도 기쁜 마음이었다.

옛말에 "수신제가 치국평천하"란 말이 있었다. 이는 나를 다스리고 가정을 잘 다스리고 나라와 세상을 다스린다는 개인과 가정과 국가와 세상을 순차적으로 접근해가는 말로 요약할 수가 있었다.

그러나 전제 절대 권력의 왕정에서는 이 말은 왕이 외는, 모두 해당 사항이 아니라는 점을 이해하여야 한다는 생각이 들었다.

그래서 내가 볼 때는 그 말보다는 "자연의 이치를 잘 헤아리고, 자신의 주제를 잘 파악하여 실존적 존재의 가치를 유지하고자 노력하면서, 절망하지 말고 때를 기다림이 중요함을 말하고 싶었다.

나는 어른 소년이 오랜 기간 온갖, 어려움을 극복하고 다양한 경험을 바탕으로, 마음속 사색의 공간을 확장하면서, 자연의 현상과 그 이면의 이치를 알아가고자, 열심히 사색과 현업을 조화롭게 이어가는 모습에 박수를 보내고 있었다.

그리고 어른 소년은 항상 인간은 누구나 자연의 순환 이치에 따라, 짧은 순간에 태어나 얼마 후, 짧은 순간에 죽음을 맞이한다는 점을 잊지 않고 있다는 점을 알 수가 있었다.

어른 소년은 이런 생멸 과정을 알게 되어 오직, 인간만의 세상에서 사는 것처럼 느껴지는 세상도 결국, 인간은 이미 자연 속의 일부분으로 살아가고 있다는 점을 알았다. 그러기에 인간은 새로운 세상을 창조하거나, 더군다나 소유할 수도 없다는 점을 인식하였다는 점에 높은 점수를 주고 싶었다.

다만, 인간은 만물을 일시적으로 욕망에 따라 잠시, 사용하고 있을 뿐이라는 점이었다. 더구나 나의 소유라고 하는 것의 존재가 이를 소유하고자 하는 이보다 대부분 더, 생명력이 길다는 점을 알게 되었다.

결국, 인간이 현상 속에서 소유하는 소유물은 소유하는 것처럼 보일 뿐이었다. 이처럼 어른 소년은 오랜 사색을 통해, 무소유의 의미를 알아차릴 수가 있었다. 이런 사색의 과정을 통해 어른 소년은, 생에 대해 집착하지 않아야 하는 이유를 느끼는 순간이기도 하였다.

사실, 어린 소년 시절의 마음을 어른인 현재도
유지하고 있다면, 아직 어른이 되지 않은 모습이
어야 했었다. 그러나 어린 시절의 마음을 잊지 않
고, 그 마음의 순수성에 더해 그 깊이를 더해가고
있기에, 아직도 어른이지만 소년의 마음이라고 나
는 감히 부를 수 있었다.

물론, 겉으로 드러난 몸의 모습은, 어린 시절 소
년의 모습은 사라지고 어른 모습이었다. 그러기에
어른의 나이에 어린 소년의 마음에 대한, 감정을
그대로 간직하고 있다고 말할 수 있었다.

그러기에 오늘 현재의 실존하는 어른 소년의 존
재로서 본다면, 과거 어린 시절의 실제 소년의 마
음은 존재하지 않음을 알 수 있었다.

그렇지만, 이렇게 세월이 흘러서도 과거 어린 소
년의 마음을 느끼는 것은, 마음속에 간직한 과거
의 추억에만 머무르지 않고, 그 어린 시절의 마음
을 바탕으로 꾸준히 마음의 깊이와 넓이를 확장한
결과라는 것을, 어른 소년을 계속해서 지켜본 나
는 말할 수 있었다.

귀향 속으로

　오래전부터 어른 소년은 특별한 마음의 여행을 준비하고 있었다. 이번에 이렇게 과거 어린 시절 살았던 집을 매입한 것도, 그 여행의 일부분이라 말할 수 있었다. 이처럼, 어른 소년이 준비하는 마음의 여행은 과거와 현재를 구분하는 경계를 뛰어 넘는, 시간을 거슬러 가는 마음의 여행이라 말할 수 있었다. 나 역시 고대하는 부분이었다.

비록, 선조들이 귀양 갔던 곳에서 다시 귀경하였다가, 어른 소년이 되어 자발적으로 그곳으로 다시, 귀향한다는 점에서 일반적인 여행하고는 무척 다른 점이었다. 더구나 이 귀향 여행은 어른 소년의 과거 시절, 자기 자신인 어린 소년을 만나러 가서, 과거의 어린 소년과 마음 여행하는 아주 특별한 여행이었다.

그러기에, 이 여행은 현상을 향해가는 여행이 아니라, 어른 소년의 어린 소년 시절의 마음으로 가서, 과거의 어린 시절 소년의 마음을 만나러 가는 귀향길이었다.

어른 소년은 성인이 되어서도 동화책을 무척 좋아하였다. 그 이유는 소년의 마음을 잊어버리지 않고 유지하기 위해서이었다. 그 속에서 어린 소년의 꿈을 찾고 싶었기 때문이었다.

어른 소년이 동화책을 읽은 시간은 현재의 나이가 아닌, 과거의 어리고 수수한 자연을 닮은, 어린 소년을 찾아가는 시간이라 할 수 있었다. 나는 그런 어른 소년을 바라보면서 지극히 존경하고픈 마음이 들었다.

또, 한가지는 어른 소년에게 어린 시절을 함께한 주변의 자연은, 자기 자신의 또 다른 어머니임을 알고 있었다. 왜냐하면, 자신이 태어난 곳도, 그리고 나이가 들어 세상을 하직하는 곳도, 자연이라는 점을 알기 때문이었다.

물론, 과거 어린 시절 소년이 살아가던 자연과 오늘날의 자연은 크게 달라진 것이 없었다. 그곳의 들판과 산은 아련한 과거의 기억 그대로 남아 있었다. 다만, 어린 시절 초가지붕은 사라지고, 없던 전깃불도 새로 생기고, 길은 잘 포장되어 있었다. 역시 자연은 그대로인데, 사람은 무언가 잘 변화시키고 있었다.

동화책을 좋아하는 어른 소년은 몸은 비록, 나이가 들어가도 마음은 세월과 무관하게, 소년으로 자연과 하나 되어감을 알고 있었다. 어쩌면 인간이 자기들의 마음이 나이가 들어가는 것을 알아차리기엔, 생이 그만큼 짧은 것도 있다는 생각이 들었다.

아무튼 어른 소년은 과거의 자신이었던, 어린 소년의 마음과 과거와 현재의 세월에 따라 시간은 다른 시점이지만, 한 공간을 공유하는 같은 사람이었음을 알고 있었다.

　오늘 현재를 살아가는 어른 소년은 과거의 자기의 어린 시절을 회상하면서, 그 어린 소년이 자기였음을 마음 여행을 통해 만나고자 하였다. 그들의 만남은 반세기(半世紀)를 훌쩍 넘긴 긴 세월이었지만, 오늘 이 순간에 그들은 서로 만나고 있었기에, 오늘은 긴 하루이었다.

　그러나 내가 볼 때 소년들의 만남은 공간적인 개념의 몸은 하나인데, 세월의 흐름에 따른 시간성을 의미하는 마음만, 과거와 현재와 미래로 나누어 생각할 수 있을 뿐이라는 점이었다.

　반면, 이를 어른 소년처럼 현재의 몸을 두고, 자기 자신이 태어나기 이전을 생각하거나, 현재의 인간 세상을 떠나 미래의 세상을 생각한다면, 소위 마음은 여러 다른 몸으로 환생하면서, 변신하는 모습도 될 것이라는 생각이 들었다.

그러기에 이런 시공을 넘나드는 생각을 자유롭게 할 수만 있다는 것만으로도, 작은 몸을 의지하면서 그 답답하게 막힌 현재를 살아가는 사람들에게, 시원하게 시공을 뚫어줄 것이란 생각이 들었다.

귀향(歸鄉)과 해후

하얀 눈이 내리는 땅끝마을에서의 어느 겨울날, 무심히 내리는 눈을 바라보던 어른 소년은 이내 시선을 돌려, 장독대의 작은 항아리를 한참 응시하다가, 무언가 떠오르는 생각을 하면서 살며시 미소를 짓고 있었다.

그리고 그 작은 항아리 속의 나와 반갑게 인사를 나누고 있었다. 나 역시, 넉넉한 미소를 온몸으로 띄우면서, 오랜만에 제자리를 찾는 느낌을 공유하고 있었다.

언젠가는 이렇게 첫눈 내리는 날, 어른 소년은 눈을 머리에 이고 있는 작은 항아리를 어루만지면서, 나를 만나 대화했던 자기의 어린 시절 그때의, 그 어린 소년의 마음을 보듬어 주고 싶어 하는 마음을 나는 알고 있었다.

살을 에는 듯한 추위에도 들판에 홀로 서 있는, 그 어린 소년의 어깨를 감싸주면서 위로해 주고 싶어 하는, 어른 소년의 마음을 알기에 나 역시, 이곳에 다시 정착하고자 내려온 어른 소년에게 박수를 보내고 싶었다.

이는 귀양이 아니라 자율 의지에 따른 귀향이라는 점에 더욱, 점수를 주고 싶었다. 사실, 어른 소년 말고는 그 어느 씨족과 혈연도 이곳으로 내려오고자 하는 이는 없었다. 그러기에 이곳은 어떤 면에서 보면 타향과 다를 바가 없었다.

오늘 현재를 살아가는 사람들은 역사 속 과거의 이 땅에서 살았던, 조상이나 민족과 같은 혈연에 대해 말하곤 하였다. 물론, 현재를 살아가는 사람들은 과거의 그때 사람들은 아닌데도, 그 옛날 조상들이 살았던 땅이 현재의 자기들의 땅이었다고 말하면서, 조상이 잃어버린 고토를 회복해야 한다고 말하곤 하였다.

그리고 이를 찾고자 온갖 고초와 어려움을 극복하고, 오늘날까지 다툼이 계속되고 있다는 점이었다. 만약, 지능이 낮은 동물이라면 당연히 역사를 인식도 할 수 없을 것이었다.

그러나 고등한 인간은 과거의 일들을 기록한 문서를 인식하고, 이를 복수의 비망록으로 활용한다는 점이었다. 역사를 아는 것이 오히려 치명적인 독이라 말할 수 있었다.

또, 한편으로는 인간이 그들의 수준을 낮추고만 살기보다는, 이성적으로 높이고자 노력하는 흔적도 보인다는 생각이 들었다. 그건 인간다운 감정을 유지한 비폭력적인 행위이었다.

그러나 혈연에 대한 집착과 소유에 따른 욕망을 저버리지 않는 한, 서로가 상충하고 있다는 생각이 들었다. 사실, 이리저리 연결해보면 다 몇 세대만 지나면, 서로 연결되어서 대부분 혈연으로 연결되는 후손이 아닌 사람이 별로 없다는 점이었다.

그런데도 몇백 년이 지난 후 사람들이 과거의 그곳에서 살았던 사람들의 땅이, 현재의 자기의 땅인 양 주장하는 것은 억지에 가깝다는 생각이 들었다. 이런 영역에 대한 집착 본능은 모든 살아있는, 생명의 자기의 영역에 대한 기본 본능이라는 생각이 들었다.

물론, 인간들은 그런 점의 모순을 극복하고자 부단한 노력하였다. 그래서 다양한 사상적인 발전과 그에 따른 체제의 발전이 오늘날까지 이어지고 있다는 생각이 들었다.

그래서 민족과 그에 따른 혈연의 수직적인 관계에서, 민주적이며 개별적 실존적인 존재에다, 가치의 중심을 두는 수평적인 사회로 발전해 가고자 노력하고 있었다.

다만, 그런 수평적인 사회 또한, 각각의 계층 속에서 수직적인 사회 모습이 표출되어, 다시 계층과 계층 사이뿐만 아니라 계층 속에서 불화와 다툼이 끊임없이 이루어지고 있다는 점이었다. 이런 점은 오늘날 민주사회의 또 다른 문제점이 대두하고 있음을 알 수가 있었다.

그런 의미에서 어른 소년의 자율적인 귀향은 마음으로의 귀향이었다. 그래서 과거 역사적인 선조의 억울한 귀양과는 다르게, 자기 자신의 순수한 마음을 찾고자 어린 소년을 찾아온 것이었다. 이것이 앞서 언급한 자칫 혈연을 바탕으로 한 선조를 찾아오는 점과는 다른 점이라 말할 수 있었다.

이처럼 어른 소년이 순수한 어린 소년을 찾아오는 마음의 여행이란, 그 시절 이곳에서 이루어지고 형성되었던, 혈연과 민족과 사상 속에서 머물러 있기보다는 이를 뛰어넘어, 자연과 하나 된 인류애적 원형을 찾고자 하였다. 그리고 포용력을 지닌 의식 속에서, 이성적인 문화인으로 살아가고자 하는 모습이었다.

어른 소년은 자기의 어린 시절을 회상해 보면서 잠시, 석양 노을을 바라보고 있었다. 세월은 흘러 과거 노을 속에서의 어린 소년이 바라보고 있었던, 그 풍경은 오늘도 변함없이 연출되고 있었다.

　그런 풍경을 바라보면서 벅찬 감동에 빠져있었던, 어른 소년은 과거 이 자리에 서 있던, 그 어린 소년의 마음은 서정적이고 감성이 풍부한 소년이었다는 생각이 들었다.

　다만, 그 당시에는 과거 어린 소년과 같은 그 느낌을 그 자리에서 공유하는 사람은 없었기에, 무척이나 외롭고 서글픈 시린 감정이, 어린 소년의 마음에 자리 잡았을 것이라는 생각이 들었다. 그래서 어른 소년은 과거로 돌아가 그 어린 소년을 위로하고자 하는 것 같았다.

이미 오래된 과거 이야기가 되어버린 것이지만, 어린 소년의 가족이 광주에서 서울로 떠난 후에, 이곳 마을에 남아있었던 큰집 종가도 서서히 이곳에서의 거주를 마무리하고 있었다.

 물론, 여러 이유가 있었지만, 가장 주된 이유 중 하나는 시대가 변하여 집에서 일해 줄 일꾼의 부재이었다. 넓은 간척지 논의 농사를 지을 사람도 종가의 사람들에는 없었다.

 다행인 것은 이곳의 마을은 강진군과 경계 지역이었기에, 이 마을에서 강진으로 시집간 어린 소년의 큰 고모할머니 댁에서 이 집을 서류상으로 매입을 하고, 이 집의 모든 가구며 집기와 책들은 그대로 보관하고 있었던 것이었다.

 아마도 이 집안의 후손 중에 누군가는 다시 이 집을 구매하여, 다시 종가의 명맥을 이어나갈 것으로 생각하고 있었던 모양이었다. 큰 고모할머니 댁은 강진에서 드물게 보는 향토 선비댁이었다.

어린 소년 시절 그 집의 대주는 이곳을 자주 내왕하면서, 생전의 큰 조부와 친분이 두터운 사이이기도 하였다. 그래서 큰 조부와 뜻을 같이하는 향토 사학자로 이곳에서 후학을 가르치면서 나름 보람된 생활을 한 사람이었다. 나중에 큰 조부는 자기의 여동생을 그 집 대주와 혼인하게 하여, 서로 인척 관계가 된 집안이었다.

어른 소년은 수소문 끝에 자기의 생각을 이야기하고, 그 종가에서도 어린 시절의 소년을 잘 알기에 쉽게 큰집의 매매를 허락받았다.

나 역시 너무나 기쁜 마음이었다. 안채 깊숙한 곳의 장독대와 나의 친구들이 모여있는 항아리들은 변함없이 잘 있었기 때문이었다. 내가 과거 항상 몸담고 있었던 항아리도 잘 보존되어있었다.

나는 모처럼 온몸을 편안하게 펼칠 수가 있었다. 앞으로 어른 소년과 얼마나 깊은 마음의 대화를 하면서, 이곳에서 잘 지내야겠다는 결심을 굳게 다짐하였다.

어른 소년은 이렇게 과거 어린 시절 살았던 집을 구매한 이후로, 부쩍 과거의 어린 소년의 마음을 찾아가는 모습이었다. 이는 자기 자신의 마음속에 내재한 마음의 원형을 찾아가는 사색 여행을 의미하였다.

그리고 과거 어린 시절이 새삼 그 내용과 장면이 생생하게 떠오르고 있는 것은 아마도, 어른 소년이 되었음에도 항상 어린 시절 소년 마음을 마음속에 간직하고, 그때의 다짐을 잃지 않고 실천하고자 하는 마음이 있기 때문이라 할 수 있었다.

물론, 어른 소년처럼 이렇게 직접 어린 시절을 보낸 곳으로, 이주해와 사는 경우가 아니더라도, 마음으로의 여행은 마음만 먹으면, 시간과 장소와 현실적인 제약에 따른 구애됨이 없이, 여행할 수 있는 장점이 있었다.

아마도 이런 이유로 사람들은 마음의 여행을 대부분 추억여행이라고 말하는 것 같았다. 그래서 사람들은 과거 자기 자신들이 태어나고 성장한 곳을 생각하거나,

과거의 인연들과 어울리던 장소에 대한 그리움에 실제로 그곳을 방문하기도 한다는 점이라는 생각이 들었다.

물론, 사람들의 마음속에 그렇게 가보고 싶은 곳은 대부분 관광지도 아니고, 일반적으로 특별한 곳이 아닌 곳이 많았다. 그래도 그곳은 자기 자신의 흔적들이 과거에 스친 곳이었다.

실제로 그곳을 방문했을 때, 그 모습이 크게 달라지지 않고, 그 시절의 모습 그대로 있는 곳이라면, 더욱, 과거에 대한 회상에 빠질 수 있는 추억이 고스란히 남아있는 곳이 될 것이라는 생각이 들었다.

사람들은 이처럼 특정한 장소에 대한 과거의 향수로 그곳을 여행한다면, 물론, 현재 그곳에는 그 당시, 자신의 어린 시절은 볼 수는 없지만, 익숙한 장소를 발견하고 그 시절의 기억 속에 과거의 추억에 잠긴다는 점이었다.

또한, 많은 사람은 어른이 되어 과거 학창 시절 동창생들을 만나면서, 과거의 그 시절의 어린 소년 소녀 시절을 회상하였다. 그리고 말하기를 "우리가 지금 이렇게 만나는 행위가 어린 시절의 나를 만나는 행위이기에, 과거의 소년 소녀를 오늘 이렇게 만나는 것은 같다."라고 말하면서 서로 아련한 과거의 향수에 젖곤 하였다.

 물론, 그렇게 말하는 것도 어른 소년이 어린 소년을 만나는 점과 같은 맥락이라는 것은 맞았다. 다만, 과거의 소년 소녀의 마음이 되어, 오늘날 복수 개념의 동창생들이 서로 어울리면서, "그때는 그렇게 지냈지"라고 말하면서, 어린 시절 생각과 꿈을 과거의 시간에서 멈추고 있다는 점이었다.

 다만, 지금의 어른 소년처럼, 현재 어른의 마음에서 과거의 자기 자신의 마음에 대한, 사색적 관찰을 이어가면서, 어린 시절의 어린 소년의 마음을 형이상학적인 면으로 재조명에 보지는 않는다는 점이었다.

사실, 과거 어린 시절 소년은 성장기에 있었기에, 생각과 사색에 한계점이 있는 상태 속에서, 어떠한 사물을 바라보면서 어떠한 감정을 느꼈었다. 그리고 그렇게 형성된 감정들은 어른이 되어서도 무의식으로 내재 된 체, 어른의 마음의 원형으로 자리 잡은 다는 점이었다.

 대부분은 선한 방향성으로 형성되지만, 이와 반대로 작용하기도 하기에, 한번 발현된 그런 마음들은 점차 커져만 가다, 나중에는 통제 불능 상태에 빠지기도 한다는 점이었다.

 그런 점을 잘 알고 있는 지금의 어른 소년은 그 어린 소년이 과거 느꼈던, 그 감정에 대한 의미와 어린 소년의 마음을 되새겨 알아보면서, 과거 어린 소년의 마음과 함께하면서, 그 어린 소년의 내재한 마음을 알아보고자 하였다. 동행하고자 하였다.

즉, 과거 어린 소년이 혼자 들판에서 석양 노을을 바라보면서, 자기의 마음속에서 일어나는 시린 감정을, 오늘날의 어른 소년이 그 과거의 어린 소년의 그런 감정을 사색하는 소년의 모습이라고 이해하고, 지금 어른 소년의 마음속 한구석에 자리잡는, 그 어린 소년의 마음을 이해할 수가 있다는 점이었다.

지금의 어른 소년이 항상 아침에 떠오르는 해와 저녁에 지는 노을을 바라보면서, 항상 사색에 잠기면서 형이상학적인 인문학에 힘쓰는 부분도, 그 노을과 혼자 서있는 지독한 고독감이 주는 강렬하고도 짜릿하다 못해, 시리디시린 그 감정을 잊지 못하기 때문이라는 점을 부인하기 어려운 점이었다.

이는 과거 그 어린 소년의 마음을 어른 소년이 된 현재도 고스란히 세월과 함께 공간적으로 성장시켜, 오늘날의 어른 소년의 마음속에서 실존적으로 존재하기에 가능하지 않을까 하는 생각이 들었다.

즉, 이제 어른 소년이 되어, 어린 시절의 모습은 거의 없는 성인이 된 몸이지만, 과거 어린 시절 마음을 고스란히 어른 소년의 마음속에 간직하고 있었기에 가능한 일이었다.

물론, 현상으로 각인된 사물들의 어린 시절 기억을 말하는 것이 아니라, 현상 이면에서 어린 소년이 느꼈던 마음속 감정을 기억하는 점이 다른 점이었다. 그런 어린 소년의 사색적인 마음은 연속적으로 이어져, 어른 소년이 된 오늘날에도, 그때 어린 소년의 마음은 유지되고 있음을 알 수가 있었다.

그런 결과로 오늘날 어른 소년은 그 당시의 어린 소년은 사색하는 소년이었음을 알게 되었다는 생각이 들었다.

그리고 어른 소년은 이렇게 눈 오는 날이 아니어도, 집안에 보관해 놓은 나의 몸인 항아리를 어루만지면서, 그 어린 시절로 돌아가 어린 소년의 어깨를 감싸 안고 위로를 해주는 듯한 행동을 자주 하곤 하였다.

나는 그런 어른 소년의 모습을 보면서, 과거 그 시절 어린 소년의 향기를 느끼곤 하였다. 이처럼 과거의 어린 시절 소년의 마음이 단절되지 않고, 오늘도 어른 소년은 그 당시 어린 소년의 마음을 만나, 교감을 나누고 있었다.

어느덧 밤은 깊어가고 어른 소년의 방에도 전등 불도 커졌다. 나와 어른 소년은 오늘도 편안하고 고요한 마음을 유지한 체, 깊은 숙면에 빠져 내일 을 기다리고 있었다.

이제 어른 소년은 이곳 땅끝마을에서의 생활을 통해 더욱, 사색의 깊이를 더하는 내일이 되기를 계획해 보고 있었다. 어른 소년은 수많은 고서를 탐독하면서 나름, 서로 간의 공통점을 찾아 융합 하고자 시도를 하는 것 같았다.

그리고 시간을 내어 짬짬이 강연도 하고 집필 활 동을 통해, 새로운 사조 변화로의 시도도 하고 있 었다. 이는 다 문화의 꽃을 피우고자 노력하는 형 이상학적인 활동이었다.

다만, 이러한 형이상학적인 문학에 대한 집필과
활동을 위해서는 그래서 우선 자기 자신의 마음을
잘 읽을 수 있는 것이 중요한 부분이었다. 왜냐하
면, 문학이나 철학적인 분야는 결국, 마음 작용의
직접적인 산물이기 때문이었다.

내가 나의 마음을 잘 알고 있다면 내 마음에 외
부로부터 들어오는, 자연으로부터 오는 아주 작은
소식과 단서라도 잘 분석해 낼 수 있다는 점이었
다. 나 역시, 어른 소년이 마음공부에 더욱 깊게
전념한다는 점은 백번 찬성을 하고 싶었다.

어른 소년은 이런 마음공부를 통해, 자연과 인
간의 교감과 공감 능력을 키우면서, 내 마음속과
타인의 마음속 깊은 곳에 자리한, 가장 여리고 순
수한 그래서 더욱, 외롭고 고독한 소년과 소녀의
마음을 찾아 위로하고자 하였다. 물론, 그 위로의
수단은 어른 소년에게는 형이상학적인 인문학이라
말할 수 있었다.

이곳 시골에도 또, 어김없이 하얀 눈이 내리는 겨울이 돌아왔었다. 어른 소년은 이렇게 눈 내리는 날, 하얀 눈을 뭉쳐 눈사람을 만들곤 하였다. 그리고 과거 어린 소년을 만나기 위해 마음 여행을 준비하곤 하였다.

그 하얀 눈사람은 겹겹이 쌓인 세월의 씨간장인 나를 만나, 나 역시 원기를 회복하여 다시 힘 있는 검은 눈사람이 될 예정이었다.

그리고 깊은 밤, 어른 소년은 나와 짧은 만남의 시간을 갖곤 하였다. 매년 겨울이 다가오면 더욱 분주하고 어김없이, 검은 눈사람인 나는 소년들에게 사색 기제가 되고 있었다.

이처럼 나는 겨울과 눈 내리는 날이라는 시간과 공간을 공유하는 의미 속에서, 일정 기간 시차를 두고 존재하는, 어린 소년과 어른 소년을 이어주는 마음의 징검다리 역할을 하곤 하였다.

두 소년은 시간의 차이 속에서도 공간의 연속은 유지하고 있었기에, 나는 두 소년이 서로의 차이점을 인식하게 하면서, 실존적인 존재의 의미를 일깨워 주고 있었다.

이처럼 사색 기제로서의 나는 과거 어린 소년이나, 현재 어른 소년에게, 사색의 장을 열어주는 아주 적합한 기제라고 볼 수 있었다. 이렇게 깊은 사색에 들 수 있는 것은 추운 날씨 때문에 모든 생명과 사물들이 움직임을 멈춘 체, 동면에 들어가는 듯한 겨울날이라는 시간과 그 시간에 따른 공간 덕분이었다.

나는 겹겹이 깊게 쌓인 적막한 인적 드문 시골에서, 몸 녹아내리지 않고 한참 동안 소년들을 감싸 안고 있었다. 사실, 앞서 언급했듯이 나는 처음부터 씨간장이 아니었다.

본디, 나의 몸은 하얀 눈이었다. 그리고 수많은 세월을 대지와 바다와 하늘을 순환하는 자연의 이치를 알리는, 자연의 전령이라 함이 나의 일이었다.

그런 나는 하얀 눈으로 대지에 내려온 이상, 무언가 나의 역할을 찾아내고 있었다. 시골의 들판에 떨어진 낙엽은, 차갑게 다가오는 작은 바람에 정처 없이 대지 위에서 떠돌고 있었다.

겨우, 가느다란 숨결만이 붙어있어 호흡하기도 힘들어하는, 메마른 낙엽에 나는 입김을 불어 넣어주고 있었다. 나에게 위로를 받은 낙엽은 긴 한숨 몰아쉬면서 편안하게 대지를 침대 삼아 잠을 잘 수가 있었다.

이를 바라보는 과거 어린 소년과 현재 어른 소년은 대지를 하얗게 덮고 있는 나에게서 차분하고 포근한 마음을 느끼고 있었다. 소년들은 내가 대지와 하나가 되기 전에, 나를 이리저리 뭉친 다음 그 둥근 두 개의 형상을 하나로 합체 시켜, 눈사람을 만들곤 하였다.

두 소년은 정성 들어서 만든 눈사람이 녹을세라, 나를 씨간장을 담아 놓는 항아리에 보관하였다. 그리고 두 소년은 나를 검은 눈사람이라 불렀다. 그때부터 나는 자연의 이름인 하얀 눈에서, 검은 눈사람이라는 사람의 호칭을 얻게 되었다.

그 이후로 나는 소년을 비롯한 인간 세상에 관심을 기울이면서, 가장 고등한 인간들이 더욱, 고등해지길 고대하고 있었다. 다만, 나 역시 자연의 순환 이치에서 보면, 가장 기본적인 산물이기에, 아무리 인간 세상에 대한, 관심이 지대하더라도, 자연의 이치보다 중함이 덜하다는 점을 인식하고 있었다.

그러기에 오히려 역설적으로 어린 소년이 어려움과 고통 속에서 어른 소년이 되어가는 여러 과정을 객관적으로 바라볼 수가 있었다.

어쩌면 지극히 냉정하고 차가운 듯 보이나, 나역시, 본능이 작동하는 감정을 배제하고, 자연의 이치에 닮아가는 감정을 유지하고자 하는 마음이 작용하고 있었다.

다만, 나 역시 몸은 하얀 눈사람으로 보충하지만, 자연의 현상이 아닌 이치를 알아차리기 위해, 끊임없이 마음의 음식도 필요함을 느끼고 있었다. 그래서 깊은 밤 모두가 잠이 들 때, 나는 서재에 들어가서, 수백 년 전의 검은 나의 조상들을 만나곤 하였다.

사실, 나의 주 임무는 생명체에게는 생명수를 제공하는 것이었다. 또한, 무 생명체에게는 언젠가는 생명체로 살아갈 수 있다는 기대를 주는, 최소한의 갈증을 풀어주는 역할이었다.

  그러나 영민한 어린 소년을 만나, 우주와 자연과 인간의 궁금한 부분을, 시도 때도 없이 물어오기에, 나 역시, 공부하지 않을 수 없었다.

  그래서 밤마다 두 눈 부릅뜨고 조상들이 모여 연구해 놓은 서고에서, 어린 소년이 궁금한 부분을 비롯하여, 나 역시 자연과 우주와 인간의 마음에 대해 조상들에게 자문과 강의를 듣곤 하였다.

  서재에 가득 모여있는 옛날부터 내려오는 서책은, 방부 처리한 화학 잉크를 쓰는 요즘의 책들과는 달리, 오직 먹물에 좀이 쓸지 않도록 씨간장이 포함된, 천연 간장의 소금물을 배합한 먹물로 한 장씩 수작업으로 만든 서적들이었다.

  당연히 나의 조상들은 인고의 세월을 달래기 위해, 오직 서책에만 매달린 결과, 모두가 석학이자 박사의 칭호를 받고 있었다.

사실, 여기서 언급하는 나의 조상이란 인간들이 말하는 의미의 조상은 아니었다. 그러기에, 나이를 많이 먹은 흰 수염이 긴 조상의 의미는 더욱 아니었다. 자연의 순환에 따라 일시적인 자연의 옷을 입는 대상물이었다.

　그러기에 일정 기간 일정한 모습으로 존재하기는 하여도, 특정하게 규정하여 나이 많다는 의미는 무의미하였다.

　그런 모습을 바라보면서 왜, 우주 만물을 자연이라 부르고 있는지, 또한, 자연은 스스로 자생력으로 자체 발광하는 것이기에, 지극히 자연스럽다는 점이었다. 이것이 자연의 이치임을 알게 되었다.

　물론, 다행인 점은 지금의 어른 소년은 스스로 문제와 답을 깊은 사색을 통해 매번 잘 풀어가고 있다는 점이었다.

　암흑만이 가득한 깊은 밤, 우주 공간 속에서 어두운 침묵은 세상의 공간과 시간의 개념을 하나로 묶고 있었다. 이제 어른 소년은 질문은 잊은 체, 나를 보면서 하얀 미소를 짓고 있었다.

나의 마음 또한, 미래의 상상 속의 소년이었던, 현재의 어른 소년과 이미 과거가 된 어린 소년의 만남을 기뻐하면서, 그들은 나와 하나 되어가고 있었다.

어른 소년은 이렇게 칠흑처럼 하얀 눈이 내리는 어두움이 가득한 밤, 어른 소년의 마음속에서 과거 시절인 어린 소년과 함께하고자 하였다.

그러기 위해서 우선, 어른 소년은 마음 깊숙이 내재 되어있는, 마음 공간 속 어른의 벽인 차갑고 딱딱하게 굳어버린 동토를 녹아내리기 시작하였다.

물론, 그 촉매제는 다름 아닌, 깊은 사색이었다. 그런 열정은 차가운 동토를 녹이기 시작하였고, 이내 순백의 영토인 마음 여백이 생겨나기 시작하였다.

이런 작은 마음의 사색 행위만으로도 어른 소년의 마음속에서, 하얀 상상 꽃을 피우기 위한 조건은 충분하였다. 이윽고, 어른 소년은 그 어린 소년을 만날 수 있었다.

이윽고, 어른 소년은 지금, 이 순간 마음속으로
어린 소년과 공간과 시간이 공유하면서, 오늘 이
전의 시간 속에 묻힌 과거의 자기 마음 공간을 찾
아내, 그 마음 공간으로 여행을 하여, 그곳에 내재
한 어린 소년의 마음을 접하고 행복해하고 있었
다. 어린 소년이 서 있는 그곳은, 태양을 등지는
서쪽 하늘 그곳이었다. 그곳은 어둠물질만이 가득
존재하는 지구의 대지와 함께하는 곳이었다.

마음과 무시간성

사실, 내가 볼 때 인간들은 자기 자신들의 마음은 몸과 달리 늙지 않는다고, 마음은 언제나 청춘이라는 말을 귀가 아플 정도로 들었었다. 그러나 마음은 늙지 않는다는 말은 형상으로 보이지 않는 마음이기에 그렇게 말할 뿐, 몸이 늙어감에 따라 당연히 마음도 늙어간다고 볼 수 있었다.

그러기에 현재의 나이가 든 어른 소년의 마음에, 과거 어린 소년의 마음도 있었다고 말할 수 있었다. 현재의 어른 소년은 시간이 나면, 과거 어린 시절의 소년을 만나고자, 이렇게 첫눈이 내리는 날 과거로의 마음 여행을 하곤 하였다.

 그리고 어린 소년을 만나고 그 소년의 순수한 마음속에, 잠시라도 머물면서 행복감을 느끼고 있었다. 이런 행위를 본다면, 마음은 언제나 청춘이지는 않다는 것을 보여주는 듯하였다.

 다만, 분명 과거의 그 어린 시절의 소년이 오늘날의 어른이 된 소년인데, 그리고 마음속으로는 분명, 어린 시절 소년의 마음이 가득한데, 지금의 어른 소년의 마음은 어린 시절 소년의 마음이 아니라는 점이었다.

 여기서 알아야 할 점은 현상으로 존재하는 몸은, 다른 자연의 사물처럼 세월이 감에 따라 변해간다는 점이었다. 그래서 어쩌면 사진이나 그때 써놓은 글 이외는 과거를 추억할 수가 없다는 점이었다.

이처럼 인간의 몸은 태어나서 완성되어가는 듯하다가, 하나씩 안팎으로 허물어져 다시, 자연의 여러 모습으로 존재해 갔었다. 그러기에 인간의 몸은 미완성이 완성이라는 점이었다.

마음 역시, 그러한 몸에 의지하고 존재하고 있기에, 오늘 가장 완벽한듯하여도 내일이면 또, 다른 생각으로 완벽하다고 말하곤 하였다.

다만, 형이하학이나 형이상학적인 존재로 있는 인간의 몸과 마음은 마음먹기에 따라서, 과거로의 추억여행을 생생하게 재연하면서, 젊게 살 수 있다는 점이었다.

물론, 인간의 마음은 형태가 없기에, 당연히 사진이나 영상으로 남길 수 없었다. 물론, 어떤 이는 사진 속에 나타난 외형적인 모습에서 그 마음을 읽을 수 있다고 말하였다.

그러나 인간은 사진을 잘 찍기 위해 "김치"하면서 치아를 드러내거나, 미소를 머금는 모습으로 대부분 사진을 찍는다는 점이었다. 그렇게 밝은 표정을 짓은 얼굴 모습을 보고, 그 마음 또한 밝은 마음이라고 말한다는 점이었다.

그러나 그 사진에 나타나는 마음은 사실, 사진을 찍기 위한 행위에 따른, 밝은 표정을 짓는다는 점이었다.

다만, 한가지 내가 볼 때는 과거의 어린 소년의 마음은, 오늘 어른 소년의 몸속 무의식의 마음의 한 부분으로 있다는 생각이 들었다. 그러기에 과거 어린 소년의 마음을 바탕으로, 오늘 어른 소년의 마음이 유지하고는 있었다. 다만, 이를 알아차리기가 쉽지 않다는 점이었다.

더욱이 의식된 마음이 마음에 가득한 현재의 어른 소년의 마음 상태라면 더욱, 힘들겠다는 생각이 들었다. 물론, 과거 추억 사진의 형상 속에서, 어린 소년의 마음을 회상하면서, 어른 소년의 마음속에 내재하는 어린 소년의 마음을 유추해 볼수는 있었다.

이를 알아차린 어른 소년은 그 사색의 기제이자 통로인 하얀 눈이 내리는 날, 과거와 현재의 눈사람이라는 공통의 사색적 요소를 통해, 어린 소년과의 만남의 장을 마련한다는 점이었다.

이는, 어린 시절 소년의 마음을 찾아 자기 자신의 마음속으로, 제대로 된 과거로의 마음 여행을 하고 있다고 말할 수가 있었다.

그렇다면, 그때 어린 소년의 마음과 오늘 현재 과거를 회상하면서, 사색하는 어른 소년의 마음과의 차이는 무엇일까? 라는 의문이 생기게 되었다.

그 요인 중의 하나는 흐르는 세월 속에 어린 소년의 몸은 어른 소년이 되면서, 점차 성숙해가다가 다시, 낡고 바래지는 모습으로 늙어가기 때문이었다.

물론, 이는 몸의 변화이지 마음의 변화는 아니라고 말 할 수도 있었다. 그러나 이런 몸의 신체적인 변화로 인해, 욕망이란 본능이 작동하는 부분의 애착 정도에 따라, 마음 변화가 생길 수 있었다.

즉, 이러한 본능을 더욱, 늘려나가거나 아니면, 절제하고자 하는 마음 작용에 따라서, 과거 어린 소년의 마음과 성인이 된 어른 소년의 마음의 차이가 생길 수 있다는 생각이 들었다.

결과적으로 과거 어린 소년의 마음과 어른이 된 소년의 마음은, 늙어가는 몸에 대응하는 마음의 차이라 말 할 수 있었다. 이처럼 자연 현상이란 변화에 따라, 변해가는 마음의 여정이라 말할 수 있었다. 이는 시작과 중간과 끝부분으로 구분할 수 있었다.

이는 어린 소년은 일상적으로 부딪치는 현상과 본능에 따른 감정 표현인, "기쁘다 슬프다 화난다"로 마음속 감정을 표현하였다. 그러나 어린 소년은 세월 속에 성장해가면서, 그 감정에다 외로움과 고독함과 기쁨과 서러움이라는 감정이 중첩되면서, 그 어린 나이에 처음으로 마음속 복잡 미묘한 감정의 상태를, 시린 감정으로 나타내고 있었다.

어린 시절 단순하고 단선인 감정이 점차 복잡 미묘해지면서, 그에 따르는 마음속 감정도 복선적으로 된다는 점이었다. 또, 하나는 자연을 이치로 바라보는 마음이었다. 어린 소년 자연을 현상으로만 바라보다, 그 현상 속의 이치를 알아차려, 그에 선택적으로 감정을 나눌 수 있다는 점이었다.

* 어른 소년과 함께 있던 들판의 이름 모를 풀들은, 어른 소년의 발목 위로 한참을 올라와 어른 소년의 발을 감싸 주었다. 그리고 둥지로 향해 날아오르는 새들은 서산으로 넘어가는 붉은 태양 한가운데를 비행하면서, 고독한 시선을 거둔 체, 홀로 서 있는 어른 소년에게 춤을 추기를 권하고 있었다. 어른 소년과 풀과 새들의 몸짓은 하늘에서 펼치는 그 황홀한 광경과 교차하고 있었다. *

일반적으로 어른이 되어서 어린 시절을 회상 해 보면, 대부분 가물가물한 기억 속에 있었지만, 과거의 어린 소년의 마음이 생생하게, 오늘날 마음으로 이어져 있는 어른 소년은 끊임이 없이 이어지는 사색하는 마음을 유지한 결과라는 생각이 들었다.

그러기에 그 사색하는 소년들의 마음은 항아리 속의 검은 눈사람인 나와 같은 형제지간이라고 하여도 틀린 말이 아니었다. 어린 시절 사색하는 소년에게는 주변의 산과 땅 그리고 바다라는 자연 속에 살고 있었지만, 현실은 한 발자국도 그것으로 다가가기 어려운 여건이었다.

그 이유로는 자연이라 불리는 존재들은 대부분 어른이라 불리는 사람들의 소유이었기 때문이었다. 사색하는 어린 소년에게 현실적인 어른의 존재는 소년을 둘러싸고 있는 출입문이 없는 집의 울타리와 같았다.

왜냐하면, 어린 소년에게는 이미 주어진 환경 중에, 그 어느 작은 것 하나라도, 제대로 바꾸어 볼 힘이 없는 어린 소년이었기 때문이었다.

그런 이유로 어린 소년은 인문학을 비롯한 독서에 열중하면서, 이런 인문학을 논하는 대상으로서의 어른들과 각각의 소유가 있는 논과 밭을 사이, 그 사잇길에 서서 하늘과 태양을 바라보는 것만이 어쩌면, 가장 사람들과 시선이 부딪치지 않고, 편안한 가운데 위로와 안도감을 가졌을 거라고 나는 생각하였다.

물론, 어른에게도 이러한 답답한 환경은 달라지지 않았을 것이다. 오히려, 어른들의 세계도 앞이 보이지 않는, 차갑고 진한 중첩된 어둠과 같았다. 그러기에 열악한 어른들 역시, 생존하기 쉽지 않다는 점이었다.

세월이 흘러 이제 어른 소년은, 어린 시절 느꼈던, 그 불리한 조건과 여건은 크게 다르지 않음을 알았다. 오히려 환경은 더, 냉혹하게 그리고 불합리하게 다가오는 것을 알았다.

결국, 각자의 생에 대한 마음의 방향성에 따른, 변화만이 자기에게 주어진 여건을 변화할 수 있음을 알게 되었다.

이제 어른 소년은 마음속에 고이 접어 넣어 두었던, 과거 오래전 어린 소년의 마음속에다 각인한, 황홀한 자연의 풍광과 그에 따른 감정이 담긴 마음을 꺼내 보았다. 그리고 아직 현재 어른 소년의 마음속에 사색의 여백이 남아있음을 확인하곤 하였다.

이렇게 하얀 눈이 내리는 날 서로가 사색을 통해 그 감정을 교감하면서, 과거 어린 소년의 마음과 현재 어른 소년의 마음은 서로 수시로 만나, 하나 된 마음으로 나를 바라보고 있었다.

이런 만남은 어린 소년과 어른 소년이 그때나 현재나, 사색하는 마음을 통해, 확장된 소년의 마음을 유지하고 있기에, 가능한 일이라는 생각이 들었다.

더욱이 어른 소년의 깊은 곳에 내재한 무의식 마음인, 어린 소년의 마음과 함께한다는 점은, 인간이 느끼지 못하는 호흡작용과 같다는 것을 아는, 어른 소년은 마음속 자연의 이치를 찾아가는 길은 방향성이 탄탄해감을 알 수가 있었다.

이런 어른 소년의 사색 과정을 지켜보는 나는 생각하였다. 인간이 자연과 하나 될 수 있는 마음을 지니는 것은, 자연에 생활 터전을 마련하는 것으로 되는 것이 아니라는 점이었다.

이는 그냥 거주지가 전원에서 사는 것이라는 점이었다. 인간 마음속에 내재한 무의식 속의 마음 속에서 사색을 통해, 마음의 여백을 넓혀가는 과정일 때 가능함을 말하고 싶었다.

사색의 길

 내가 볼 때 그렇다면, 어린 소년과 어른 소년이 같이 걸어가는 그 사색의 길이란 무엇인가? 를 생각하여 보았다. 이는 당연히 그 사색의 길이란 유한한 몸으로 가는 길이 아닌 마음의 길을 의미하였다. 또한, 그 사색의 길은 자연과 함께하는 길이어서. 작고 소박한 오솔길과 같은 길을 말하였다.

물론, 여기서 작고 소박함이란 복수의 사람들과 어울려서 가기보다는, 개인인 각자의 마음속으로 사색의 장을 펼치는 것을 의미하였다. 그 길은 당연히 요란한 탈 것과 급하게 걸어가는 이 없는 길이기에, 푸른 하늘과 푸른 잔디를 집과 놀이터 삼아, 힘껏 마음의 꿈 날개를 펼칠 수 있는 길이라는 생각이 들었다.

 또한, 그 길은 정해진 시간과 공간과는 무관하게 마음먹기에 따라, 자연과 하나 되는 그런 마음의 길이었다. 결국, 그 마음의 길의 최종 목적지는 인간사의 끝자락에서, 자연의 이치와 일심동체가 되는 것이라 말할 수 있었다.

 사실, 내가 볼 때 인간이 이 세상을 사는 동안, 이미 몸과 마음이 자연과 하나 된 속에 있었지만, 이를 인식할 수 없을 정도로 복잡한 현실 속에 있다는 생각이 들었다.

 그러기에 사색의 길은 인간 세상의 다양하고, 복잡한 거미줄 같은 길과 중첩되는 길이기도 하였다. 그러기에 그 길은 인간 스스로 마음속에서 사색을 통해 찾아내어 가야 가능한 길이었다.

한없이 고요한 마음

저녁 한때 모처럼 소복이 그리고 차분하게 눈 내리고 있었다. 하얀 눈과 그 눈과 함께 다가오는 바람은, 호흡이 부족한 나와 어른 소년에게 힘을 넣어주는, 모성애 가득한 숨결과 같다는 생각이 들었다.

어른 소년은 이제 이곳 시골 마을에서 그 눈과 바람이 흘러 내려가는 길목을 함께하면서, 하늘 높이 사색을 나래를 펼칠 수가 있었다. 또한, 엉성하게 만든 하얀 눈사람이었지만, 그 하얀 눈사람은 이제 항아리 속에서 검은 눈사람인 나의 새로운 모습으로 재탄생하였다. 그리고 나는 이윽고 과거의 어린 소년과 현재의 어른 소년의 만남을 지켜보고 있었다.

어른 소년은 검은 눈사람인 나와 같은 씨간장 속 생명은, 조상 대대로 내려오는 생명의 원천이었음을 사색을 통해 알게 되었다. 그리고 어른 소년은 마음에서 환한 미소와 함께, 그 하얀 눈을 마중 나오는 자기의 마음이야말로, 자연을 닮은 사색하는 어린 소년의 마음과 같다는 점을 느끼는 것 같았다, 그런 어른 소년의 모습을 나 역시 흐뭇하게 바라보았다.

나는 요즘 너무나 느긋하게 하루를 보내곤 하였다. 어른 소년이 자율 의지로 이곳에 귀향한 이후로는, 어른 소년은 나에게 특별하게 물어보는 일이 없었기 때문이었다.

과거를 회상 해 보면, 동양의 고전과 서양의 다양한 사상 책을 접하게 된, 어린 소년은 자기의 마음속에 항상, 장차 어른이면 생각하는 마음도 내재하고 있었다.

물론, 그 이유 중 하나는 이러한 다양한 책들을 쓴 사람 중에 어린 소년은 없었고 다, 오랜 시간 사상을 연구한 어른들이 쓴 책을 보기 때문이기도 하였다. 독서욕이 대단한 어린 소년의 지식 욕구에 따른 질문에, 만족한 답을 채워주기 위해서는 나 역시, 밤새워 인간들의 학문을 공부하지 않으면 답을 할 수가 없었다.

어쩌면 어린 소년에게 가장 가까운 든든한 스승이자 지인은, 어린 소년이 직접 이름을 지어준 검은 눈사람인 나이었다.

그러기에 어린 소년은 이렇게 눈이 소복이 내리는 날, 검은 눈사람인 나와 사색 기제를 통해, 자기의 힘든 여러 가지 일들을 물어보고 있었다.

　그런 세월이 흐른 후, 이제 어른 소년은 사색 감성 묻어나는 마음으로, 안부와 위로 편지를 어린 소년에게 하고 있었다. 사실, 과거 어린 소년의 마음과 현재 어른인 소년의 마음은 검은 눈사람인, 나를 통해 중첩하여 이입된 하나의 소년의 마음이라 할 수 있었다.

　어른 소년은 오늘도 어린 시절 과거를 회상하면서, 어린 소년과 마음을 함께하기에, 그 어린 소년은 과거의 추억 속의 어린 소년이 아니라, 오늘 나와 함께 호흡하는 어린이자, 어른인 소년이라는 생각이 들었다.

　물론, 한때는 순수한 어린 소년의 감정을 잃어버리고, 본능과 현실의 욕망에 찌든 어른 소년으로 방황하는 시절이 있었다. 그리고 그 모습을 나와 어린 소년은 암담한 마음으로 어른 소년을 바라보고 있었다.

그런 어른 모습을 바라보던 어린 소년은 담담한 감정과 편안함을 유지하면서, 힘들어하는 어른 소년에게 의지처의 역할을 해주었다. 어른 소년은 이제 정말로 고맙다는 말을 항아리 속의 검은 눈 사람인 나를 통해, 어린 소년에게 할 말을 전하곤 하였다.

 물론, 어른 소년은 그 어린 소년에게 다가가는 날에는, 일상의 욕망에서 헤매다가도, 맑고 청량한 마음으로 어린 소년과 함께 사색 속에 머물면서 비록, 몸은 어른이 되어 탁한 부분도 있지만, 마음만은 어린 소년과 함께하는 날이었다.

 그런 이유로 어른 소년은 오늘도 빠짐없이 일기를 쓰고 있었다. 물론, 이런 일기를 쓰는 습관은 내가 어린 소년에게 일찍부터 권한 일이었다. 물론, 이는 이곳으로 사화에 연루되어 귀양 온 선조의 유언이기도 하였다.

 그 선조는 사간원에서 사초 일을 보던 양반이었다. 옳고 그름을 떠나 가장 바르게 자세히 쓸 뿐인데, 그것이 죄가 되어 귀양까지 온 가문이었다.

사실, 내가 냉정히 볼 때, 인간 사회는 어차피 혼자 살지 않기에, 내 편과 다른 편으로 양분될 수밖에 없다는 생각이 들었다. 그때는 나는 씨간장의 역할만 할 뿐이었기에, 그 안타까움은 말로다 형언할 수가 없었다.

 물론, 내가 어린 소년에게 권하였던 일기는 사초의 내용과는 다른 내용이었다. 우선은 그 일기의 시작은 시간으로부터 시작하고 있었다.

 물론, 그 시절에는 시계가 귀한 시기이었기에, 시계를 보며 시간을 쓰기는 어려웠다. 그래서 해가 뜨고 지는 시간을 주변의 사물을 자세히 관찰하면서 서술하기를 권하였다.

 시간의 개념을 공유하는 습관을 기르도록 하기 위해서이었다. 그래서 그런지 소년은 항상 주변을 살피고 이에, 기쁨과 슬픔을 공유하고자 하는 마음이 남달랐었다. 그리고 다음엔 언제나처럼 계절과 날씨를 꼭 쓰도록 하였다.

성장해가는 어린 소년이 섬세한 시간의 흐름은 물론, 계절의 변화에 따른 사물의 순환 이치를 깨우쳐가도록 유도하기 위함이었다. 언제나처럼 잘 따라주는 어린 소년의 의식 세계는 나날이 발전함을 느낄 수가 있었다.

다만, 지나치게 관념적으로 흐르면서 국외자(局外者)로의 생을 살아간다면, 현실 세계에서 어려움이 있을 것 같다는 내심 걱정도 있었다.

물론, 학문적인 분야에서 일을 잘 풀어간다면, 오히려 장점이 될 것이라는 생각이 들었다. 나중에 어른 소년을 만나고 이야기를 들어보니, 국외자를 극복하고 중간자(中間者)로의 길로 확대하여 잘 풀어나가고 있었다.

또한, 나는 어린 소년에게 일상의 사람들의 행위나 행동에 대해, 일기에 쓰는 것을 권하지 않았다. 일기를 쓴다는 것은 사색의 시간을 혼자만이 오롯이 가진다는 의미인데, 다자간의 일상의 일을 그 시간에 생각 속에 갖는다는 점은, 더욱 집착 속에 빠지기 때문이라 말할 수 있었다.

그러기에 일상의 세상의 일을 꼼꼼하게 기록하기
보다는, 자연의 변화에 따른 자기 마음의 변화를
잘 관찰하면서, 사색의 공간을 넓혀볼 것을 권하
였다. 물론, 어린 소년에게 사색이라는 의미의 구
체적인 언급을 하지 않았었다.

이제, 어른 소년은 과거의 어린 소년과 중첩된
의식 속에서 언제나처럼, 평범한 듯 반복하는 일
상이지만, 실존으로의 존재 의미를 잊지 않으려
사색의 시간을 붙잡고, 매일 일기를 쓰고 있었다.

그런 일기를 쓰는 행위는 현상으로의 길이 아닌,
이치로 향한 형이상학의 길을 가는 걸음이었다.
그러기에 그 길은 퇴고가 가능한 마음 걸음이 될
수가 있었다.

사실, 퇴고란 비판의식 속에 이루어지는 마음 작
용이었다. 자기의 오류를 인지하면서 더, 나은 사
색의 길을 모색하는 마음의 행위라 말할 수 있었
다.

이 말의 의미는 현상으로 보는 사물이라도 본질을 내재한 존재성은 다 있지만. 그냥 형상으로 보이는 형태는 실제로 보거나 느끼면 되는 것이기에, 실제로 퇴고의 의미는 지극히 작았었다.

반면, 그 현상 속의 내재하거나 숨겨진 이치는, 형이상학으로 내재한, 본질과 존재적 의미를 마음 속에서 유추하거나, 사색하여야 알 수가 있기에, 그 이치를 알아보는 마음의 깊이 차이는 퇴고를 거듭함에 따라 달라질 수 있었다.

즉, 본능에 따른 감정적인 마음 작용과 이를 조절하고, 이를 제어할 능력이 있는 마음 작용인 이성(理性)을 바탕으로 한, 퇴고는 어떠한 길의 목적 이치(理致)에 근접하여 도달하는 것이니, 당초에 했던 생각을 더욱 깊고 넓게 펼칠 수 있었다.

이를 일종의 퇴고 과정이라 말하고, 또한, 이를 사색이라 말할 수 있었다. 결과적으로 기왕에 만들어 놓은 길을 다듬고 정리하면서, 꾸며가는 마음속의 사색하는 시간이라 말할 수 있다는 생각이 들었다.

그러기에 사색하는 과정의 시간은 외형상으론 정적만 가득하지만, 내적으로는 역동적인 행위 속에 이루어지고 있으며, 자기 자신마저도 객관적이고 관찰자적 관점으로 바라보기에, 마음속은 환희로 가득한 시간을 보내고 있다고 말할 수 있었다.

　이는 오롯이 어른 소년의 마음속에서 소중한 어린 시절의 순수한 어린 소년이 되어가는 과정이라 말할 수 있었다.

　타고난 본질적인 몸의 공간은 공유하면서, 시간의 흐름에 따라, 과거와 현재라는 시간적 차이가 있는 소년이지만, 실제로 한사람이기 때문에, 과거와 현재와 미래에 대한 꿈을 일관되게 꿀 수 있었다. 그러나 시간적인 시점은 분명 다른 소년이기에, 생의 방향과 목적이 같다 하더라도, 과거와 현재와 그리고 미래의 소년은 다르다는 점이었다.

　더구나 한 공간을 공유하는 소년이기에 같은 존재이면서도, 시간의 흐름에 따라, 어린 소년의 마음과 어른 소년의 마음은 본능과 이성의 기준에 대한 경계의 차이가 있었다.

그러기에 아무리 한 공간을 공유하였던 소년이라
도, 시간의 차이로 인한, 공간적 존재에서의 실존
적 존재의 의미는 달랐다.

결국, 과거와 현재의 소년은 한 소년이라는 인식
속에서, 시점에 따른 실존적 존재의 다름을 인정
하면서, 검은 눈사람이라고 상징되는 나에게서 공
통의 분모를 찾아, 서로 이해와 융합으로 하모니
를 이루어 더 큰 시너지를 낸다면, 오늘 실존하는
존재로써의 어른 소년은 더욱더, 행복할 수 있을
것이라는 생각을 하였다.

이곳에 귀향하여 정착하고 난 후 제법 시간이 흐
르고 있었다. 어른 소년은 이제 장독대에 자주 들
리지 않았다. 방안에서 가끔 이쪽을 쳐다보면서
안부를 청하곤 하였다. 물론, 하루에 한 번은 꼭
들리곤 하였다. 나에게 항상 하던 습관으로 아침
에 꼭 들리곤 하였다. 다만, 과거처럼 하루에도 몇
번씩 오지는 않았다.

어른 소년은 부족하지만, 이웃과 후대를 위한 여러 집필 활동에 온 힘을 다하여, 몰두하는 모습이었기에, 나는 언제나처럼 응원을 아끼지 않았다.

그러던 어느 날 밤 사랑채에 있는 서재에서, 큰 웃음소리와 풍악을 울리는 소리가 요란하게 들리고 있었다. 가만히 들어보니 어른 소년과 나의 조상들이 풍악이 울리는 속에서, 형이상학을 논하면서 파안대소를 하는 소리이었다.

나는 궁금하여서 나의 처소인 항아리에서 나와, 서재 쪽으로 발길을 옮기고 있었다. 그리고 서재의 문을 조금 열고 서재 안을 살펴보았다. 그렇다! 그들은 철학을 비롯한 형이상학을 즐기고 있었다.

사색은 예술의 원천적 힘이기에 마음을 춤추게 하고 있었다. 오래 묵은 고서들은 일제히 책장을 넘기면서, 다양한 악기들은 소리를 내면서, 노랫가락을 연주하고 있었다.

이윽고 나의 시선은 어른 소년에게로 향하고 있었다. 한쪽에 놓은 책상 위에는 고서들이 빼곡하게 쌓여있었다. 고서들 사이에다 얼굴을 묻고, 어른 소년은 코를 골면서 자고 있었다. 그런 어른 소년의 모습을 보면서 나는 미소를 머금은 체, 까치발을 한 체로 살며시 밖으로 나왔다.

고요하고 깊은 겨울밤 하늘에는 맑은 별들이 깜박거리면서 졸고 있었다. 어느덧 검은 구름이 몰려와 별들을 잠재우고, 세상천지는 더욱 어둠이 가득하였다. 잠시 후, 진하고 어두운 검은 먹구름 사이로 하얀 눈이 한 송이씩 내리고 있었다.

이내, 하얀 눈들은 나를 감싸 안으면서, 내 주변에서 모두가 춤을 넘실거리면서 추고 있었다. 그동안 수고한 나를 위로하는 듯하였다. 그래서 나는 하얀 눈이 내리는 날이 좋았다. 이 모습을 바라보는 어린 소년과 어른 소년은 나에게 하얀 미소를 보내고 있었다.

〈부록〉 *발행한 책 목록*

  1, 마음과 자연과 사색에 대하여(수필) 2015, 2.
삶과 사색에 대하여 2015, 3. 사람 꽃 2016, 4.
길 위에서 사색 2016, 5. 사색 구름 위를 걷다
2016, 6. 사색 피리 부는 달 2017, 7. 사색 솔바
람 소리 2017, 8. 사색 하늘 나비 2017, 9. 사색
흐르는 별빛 2017, 10. 구름밭에 비를 심다 (상
권) 2017, 11. 하늘 찻잔에 꽃잎 띄우고 2017,
12. 서쪽 하늘 낙엽 물들고 2017, 13. 어망 속에
는 별들이 가득하고 2018, 14. 하늘을 걷는 나무
2018, 15. 사색으로 바라본 마음 이야기 2018,
16. 살아있다는 것만으로도 행복하다는 것을 느낄
수 있다면 2018, 17. 화가 나면 참기보다는 관찰
하는 것이어야 2018, 18. 좋은 사람이면 좋은 이
름인데 2018, 19. 사색 바람결에 마음 말리고
2018, 20. 대화선 (소설) 1-3, 2018,

23. 구름밭에 비를 심다 (하권), 2019, 24. 대화선 4-6, (소설) 2020, 27. 철학 한담 2020, 28. 대화선 7, 2020, 29. 그대는 내 마음속의 우산 (시평), 2020, 30. 회색의 문 (소설), 2020, 31. 바다의 강 (소설), 32. 사색한담 1-2, 2021, 34. 지붕 위에 수탉(소설) 2021, 35. 사색한담, 2021, 36. 토말 기행 (소설), 2021, 37. 토말록(土末錄)(수필) 1-9, 2022, 46. 그대는 내 마음속의 우산 (시평(詩評)) 2, 2023, 47. 위로가 필요한 그대 2023, 48. 오심(悟心) 1, 2023, 49. 오심 2, 2023, 50. 오심 3, 2023, 51, 중간자(中間者)(소설) 1, 2024, 52. 산정(山頂)에 피는 꽃, 2024, (소설) 53. 검은 눈사람, 흑설인(黑雪人)(소설),